Le sanglot des anges

des

anges

Tome I   Le Tueur
de la 495

Le sanglot des anges

Tome I — Le Tueur de la 495

Barels
Roman policier

PHILIPPE RIBOTY

Riboty, Philippe, 1964-

Le sanglot des anges

Sommaire : 1. Le Tueur de la 495 -- 2. Le Tueur de la Belle au bois dormant -- 3. Le Tueur à la casquette rouge.

ISBN 978-2-922592-07-8 (série)
ISBN 978-2-922592-13-9 (v.1)
ISBN 978-2-922592-14-6 (v.2)
ISBN 978-2-922592-15-3 (v.3)

Les éditions Barels
698, rue Saint-Jean, C.P. 70007
Québec, Québec G1R 6B1
CANADA
Téléphone   : 418 522-3400
Télécopieur : 418 522-3400
E-mail : info@barels.ca
Site web : www.barels.ca

Marquis imprimeur inc.

Québec, Canada

Révision linguistique en français international
Margo Vitrac, La boîte à virgules, 87510 Saint-Jouvent, France

Imprimé au Canada

La maturité est
la perte de ses croyances

1

1964, dimanche matin, à 100 km de Boston sur l'autoroute 495...

— Je l'ai trouvé, salope! grommelle un adolescent maigrelet en fixant un objet qui gît sur le gravier, à quelques pas de lui.

Il s'arrête brusquement, ramasse prestement un sac à main, se retourne et tire sur le bouchon d'une bouteille de whisky déjà bien entamée. Il en avale une grande gorgée, grimace, puis repart en direction de sa voiture immobilisée sur le bord de la route. Il dépose violemment la bouteille sur le coffre avant d'ouvrir la portière arrière côté passager.

— C'est quoi ça, espèce de salope! C'est quoi ça! hurle-t-il en lançant le sac à main sur le corps nu d'une jeune fille qui repose sur la banquette arrière.

Furieux, l'adolescent s'apprête à lui asséner un coup de pied à la tête lorsque son regard s'arrête sur les seins aux formes rebondies de la jeune fille inerte. Il repose alors son pied sur le sol et reprend son souffle. Puis il se penche sur l'adolescente, saisit le sein qui lui paraît être le plus volumineux et le pétrit lentement. Apaisé, il s'installe derrière le volant, passe sa main sous son siège, en ressort un rouleau de corde qu'il dépose à côté de lui avant de démarrer en trombe.

*
* *

Les années 50…

Martin McBerry avait vu le jour en Écosse. Sa mère étant morte en couches, il était resté fils unique. Jusqu'à l'âge de quarante ans, il épaula son père dans le métier qu'il aimait plus que tout au monde, berger dans la lande écossaise. Mais le travail était dur et peu rémunérateur. Quelques années à peine après la mort de son père, il vendit son lopin de terre et ses droits de transhumance. Il ne gardait de sa terre natale que les souvenirs d'un dur labeur. Plus rien ne le retenait en Écosse. Il décida donc de tenter sa chance aux États-Unis. Dès son arrivée, on lui offrit un emploi comme représentant dans une compagnie de boissons gazeuses. Ses employeurs étaient ouverts d'esprit et appréciaient ses idées qui apportaient un vent de fraîcheur sorti tout droit de ses collines natales. Dans cette période de prospérité d'après-guerre, une belle carrière s'ouvrait devant lui et tous les rêves étaient permis. Tant et si bien que, cinq ans plus tard, il épousa Lilie Poirier, une jolie femme respectable de Jackman, petite ville frontalière du nord du Maine.

Lilie était issue d'une famille où l'on était policier de père en fils depuis trois générations. Fille unique, elle demeura chez ses parents jusqu'au jour de leur mort. Lilie hérita donc d'une solide éducation morale et d'une bonne dose d'affection pour affronter la société. En épousant Martin McBerry, elle devint une femme comblée et épanouie dont l'unique but était de rendre sa famille heureuse. Elle nourrissait toutefois un regret. S'étant mariée tardivement, elle ne put donner le jour qu'à un seul enfant, le petit Edward, qu'elle chérissait de tout son cœur.

$$*$$
$$*\quad *$$

De retour en 1964...

Les McBerry habitent une maison neuve à Bifield, petit village en banlieue de Boston. Ce matin-là, assis à califourchon sur une chaise de cuisine, le propriétaire des lieux savoure son café comme tous les dimanches matin en contemplant l'élue de son cœur. Lilie s'affaire au petit déjeuner lorsqu'elle jette un coup d'œil à l'horloge.

— *Il est temps de réveiller le petit,* pense-t-elle. Lilie déteste crier. Elle préfère monter à la chambre du bambin qui vient à peine de fêter ses six ans quelques semaines auparavant. Elle ouvre doucement la porte et le regarde dormir. C'est le plus beau moment de sa journée. Elle admire son petit chef-d'œuvre pendant quelques secondes, s'assied sur le rebord du lit et lui caresse le front.

— Eddy, mon chéri, il faut te lever.

Edward entrouvre les yeux. Sa mère lui sourit.

— Tu as bien dormi ?

Edward fait signe que oui. Il referme ses yeux, les frotte et les ouvre de nouveau.

— Bonjour, Maman !

Il s'appuie sur son coude et se blottit contre sa mère qui l'enlace tendrement.

— Je t'adore, mon poussin. Tu viens, je t'ai préparé ton petit déjeuner préféré.

Sa mère le prend dans ses bras et descend à la cuisine rejoindre son mari qui a fini de dresser la table.

*
* *

Après un copieux déjeuner, McBerry sort de la maison et déverrouille les portières de la voiture familiale, une Ford Galaxie 500 de l'année, bleu ciel, à quatre portes. McBerry retourne vers la maison et croise sa femme qui porte un panier dans lequel elle a déposé un plat de pommes au four destiné au pasteur Douglas et à sa femme Anna Barton. McBerry prend son rôle de mari très au sérieux et ne veut pas que sa femme porte les paquets.

— Laisse, ma chérie !

Il dépose le panier sur la banquette arrière de la voiture, la contourne et s'empresse d'ouvrir la portière avant à sa femme qui est déjà de retour avec le petit Edward.

— Madame, si vous voulez bien vous donner la peine !

McBerry se tourne ensuite vers Edward qui tente de retenir un vigoureux petit chiot qu'il traîne partout où il va.

— Si Monsieur veut bien se donner la peine !

Le petit Edward se met à rire et s'engouffre dans la voiture avec son petit copain blotti contre sa poitrine. Son père a baptisé le chiot Robin en l'honneur de Robin des Bois, héros de son enfance. Edward tente en vain de déposer l'animal grouillant sur une couverture installée expressément pour lui. McBerry s'avance et y couche l'animal.

— Là ! Il sera bien durant tout le voyage.

Puis il retourne s'asseoir au volant de la Ford rutilante qu'il a polie la veille, comme chaque samedi, et passe en marche arrière.

— Tout le monde est prêt ?

La voiture commence à peine à reculer quand le petit Edward s'écrie :

— Maman, j'ai oublié Batman !

La mère regarde son mari et lui décoche un sourire comme seules les femmes savent en faire aux hommes qu'elles aiment. McBerry freine et coupe le moteur. Lilie se met à rire.

— Il est sur la table de la cuisine !

McBerry sort du véhicule, court vers la maison, attrape la bande dessinée, revient à la voiture et tend à son fiston son numéro préféré de Batman.

— C'est bien celui-ci ?

Les yeux de l'enfant s'illuminent et il tend les mains en criant de joie. Son père y dépose la revue comme on remet un trophée.

— Tiens, mon fils. On est parti.

La famille McBerry prend enfin la route pour l'église.

*
* *

McBerry gare sa voiture devant l'église de Bifield, seule église du village. Elle est située un peu à l'écart, dans la forêt. Les nouvelles constructions rongent peu à peu les arbres environnants qui arrivent de moins en moins à l'isoler de la civilisation. Mais pour l'instant, elle jouit toujours d'un décor champêtre. Âgée d'à peine quelques années, elle n'a certes pas la stature pompeuse de ses grandes sœurs ni leur cachet spirituel acquis par la dévotion des milliers de fidèles venus s'y prosterner. Elle est plutôt trapue, mais elle sent le neuf et répond tout à fait aux aspirations d'une nouvelle génération qui tente de se dégager peu à peu de l'autorité des représentants du clergé. Les vis de la charnière supérieure d'une des deux portes d'entrée, celle de droite, sont disloquées, ce qui fait qu'elle frotte contre le sol lorsqu'on l'ouvre. Il faut alors la soulever légèrement pour la fermer complètement, sinon elle bâille d'une dizaine de centimètres. Cette particularité offre l'avantage de fournir un sujet de conversation et donne aux gens un prétexte pour assister à l'office chaque dimanche, ne serait-ce que pour vérifier si la porte a été réparée. Chaque fois qu'un bon samaritain propose ses services pour réparer la porte branlante, le pasteur Charles Douglas lui sert une réplique toute prête qui fait la joie des paroissiens.

— Non, merci ! Ici, c'est la maison du Bon Dieu et cette légère ouverture permet aux âmes égarées d'y trouver refuge pour dormir en paix.

Plusieurs s'amusent à lui renouveler leur offre juste pour le plaisir de l'entendre la répéter.

Les McBerry sortent de leur véhicule. Martin soulève le panier et le remet à Lilie. Non pas qu'il ne veut plus le transporter, mais comme c'est elle qui a cuisiné les pommes au four, il lui appartient d'offrir le présent au pasteur et d'en cueillir les remerciements. Il se penche ensuite sous la banquette et en extirpe deux pots qu'il ouvre. L'un contient de l'eau et l'autre, de la nourriture pour chiot. Il les place bien en vue sur le plancher arrière de la voiture, entrebâille suffisamment la fenêtre afin que l'air circule dans le véhicule et referme la portière. La famille McBerry entre dans l'église. Lilie dépose son plat de pommes au four sur une table réservée pour les présents des fidèles. Anna Barton, la discrète et ravissante femme du pasteur dont le Bon Dieu ne fit jamais germer la vie en elle, est assise non loin de là. Elle salue Lilie, puis la famille McBerry se dirige vers le deuxième banc à l'avant, là où elle s'assoit tous les dimanches depuis son arrivée à Bifield, il y a un peu plus de trois ans maintenant. La cérémonie se déroule comme à l'accoutumée. Elle n'est ni trop longue ni trop courte, juste comme il se doit. Le petit Edward est encore trop jeune pour communier, mais loin d'en être offusqué, il en éprouve du soulagement, car il n'aime guère certains regards que le pasteur jette à la dérobée aux enfants.

*
* *

À la fin de l'office, Lilie se dirige vers la voiture derrière Edward qui court s'enquérir de l'état de son compagnon Robin. McBerry s'attarde un moment sur le perron avec quelques fidèles. Ils discutent de la disparition d'une jeune fille de quatorze ans d'un village voisin qui aurait, pense-t-on, été dévorée par les loups. C'est ainsi que les villageois désignent les chiens errants qui se regroupent dans la forêt pour y vivre en meute. McBerry n'aime pas cette façon de parler.

— Cessez donc de parler de loups devant les enfants quand il s'agit de chiens. Les loups ne s'attaquent pas aux hommes. Ce sont de braves bêtes et si cette pauvre fille a été attaquée par une bande de chiens errants, c'est parce que ces derniers ont goûté à la médecine des hommes. Nous sommes donc aussi responsables qu'eux de sa mort.

McBerry parle en connaissance de cause. En tant que berger, il a travaillé avec des chiens dès sa tendre enfance. Il les sait vaillants et fidèles. Les échanges durent encore quelques minutes et, comme chaque fois, l'un d'eux consulte sa montre. C'est le signal. Les antagonistes se saluent en se souhaitant bon appétit, bonne semaine et à dimanche prochain.

Sur le chemin du retour, le petit Edward est blotti sur les genoux de sa mère pour mieux savourer la lecture qu'elle lui fait de sa revue fétiche. Le petit aime bien commenter et poser des questions, et Lilie s'amuse à l'entendre s'interroger sur tout et sur rien et ponctuer le récit de ses réflexions enfantines.

— Maman, est-ce que je ressemblerai à Batman quand je serai grand?

— Bien sûr, mon chéri.

Elle tourne la page en déposant un baiser sur son front.

Au même moment, à un kilomètre de là, une voiture négocie la première courbe d'une route en lacets. Elle dépasse largement la vitesse permise lorsqu'elle croise la voiture du shérif garée perpendiculairement à la chaussée, dans l'entrée d'un chemin de terre. Le jeune officier au volant se redresse aussitôt et suit du regard la course folle du véhicule.

— On y va, chef?

— Du calme, je n'ai pas encore fini mon sandwich, on est dimanche et, de toute façon, on a déjà notre quota pour la journée. Tu sais…

— Mais il y a une vague de vols…

Le vieux shérif éclate de rire.

— Arrête un peu, mon gars, tu veux… Tous les gens pressés ne sont pas des criminels qui…

Le chef n'a pas le temps de terminer sa phrase.

— Merde! s'écrie l'officier au volant.

En négociant la courbe, le chauffard au visage partiellement caché par son chapeau a maintenu sa vitesse effrénée. Incapable de rester dans sa voie, il se retrouve de l'autre côté de la route, face à face avec le véhicule des McBerry. Martin McBerry donne un coup de volant pour éviter le pire et dirige sa voiture directement vers le fossé. Lilie et Edward ont à peine le temps d'entrevoir le chauffard. Ce dernier tient d'une main le volant et une bouteille de whisky et, de l'autre, la jambe nue enserrée d'une corde de chanvre nouée à la cheville d'une jeune fille qui se débat sur la banquette arrière.

La voiture des McBerry percute un arbre de plein fouet. Martin traverse le pare-brise. Sa femme entoure le petit de ses bras pour le protéger. Ne disposant plus de ses mains pour parer le choc, elle se fracasse la tête contre le tableau de bord. Avant de fermer ses grands yeux bleus pour une dernière fois sur son monde idyllique, le petit Edward a vu toute la scène.

Le vieux shérif frappe alors le bras de son collègue tout en projetant son sandwich et son café par la fenêtre.

— Fonce! Fonce! Fonce!

Les officiers démarrent sirènes hurlantes pour porter secours aux McBerry, mais il est déjà trop tard. Le fuyard disparaît à l'horizon, emportant avec lui sa malheureuse prisonnière.

2

38 ans plus tard, un jeudi après-midi, devant une maison huppée à Altoona, Pennsylvanie...

Un autobus à l'enseigne du corps des *Marines* traverse un barrage policier et se gare le long du trottoir, juste en face de la demeure. Un superbe tapis de pelouse verdoyante, qui dénote un entretien quasi quotidien, sépare sur une distance de dix mètres la porte de l'autobus de celle de la maison. Le chauffeur prend bien soin de ranger son véhicule de façon à ce que sa porte soit alignée vis-à-vis de celle de la résidence. À son bord se trouvent vingt stagiaires qui viennent de terminer leur session d'été et qui se préparent à aborder leur premier stage sous l'égide de Craig Jamison, le directeur du département d'enquêtes sur les crimes violents du FBI. Jamison a atteint le début de la cinquantaine.

Il est sportif, très autoritaire et exige qu'on l'écoute attentivement lorsqu'il prend la parole. Il se lève et se retourne face à ses élèves.

— Nous sommes arrivés. Je vais vous demander de descendre posément et d'éviter d'afficher un air surpris, intimidé ou amusé. Soyez sérieux, il y a des gens massés tout autour du périmètre de sécurité qui aimeraient bien, tout comme vous, visiter la scène du crime. Alors, soyez fiers sans être arrogants. Ah oui ! Notre criminel est peut-être dans la foule. Des policiers en civil s'y promènent actuellement pour détecter des suspects potentiels. Sachez garder une attitude professionnelle, car dites-vous que tout ce beau monde vous observe. Votre présence ici est extraordinaire. C'est mon idée, ne me la faites pas regretter. Des questions ?... Si vous voulez bien me suivre !

Jamison sort le premier de l'autobus, traverse le terrain d'un pied alerte et pénètre directement dans la maison. Il s'enfonce suffisamment dans le hall pour laisser entrer ses protégés. Il fait un demi-tour et cherche à capter le regard du dernier arrivé.

— Fermez la porte derrière vous, s'il vous plaît !

Le jeune homme interpellé s'empresse d'obéir. Tous regardent partout et nulle part à la fois. Il y a des policiers dans tous les coins qui, seuls ou en groupes de deux, examinent les lieux. Les appareils photo crépitent et les magnétophones enregistrent. Jamison laisse son groupe observer les lieux un moment. Il attend que la majorité des regards se tournent vers lui pour reprendre la parole. Jamison aime bien utiliser un ton incisif quand il s'adresse à plus de trois personnes. Il adore sentir le respect que son statut hiérarchique impose dans une organisation structurée et morale comme le FBI.

— Maintenant, vous allez vous disperser seuls ou en petits groupes de trois au maximum. Observez bien les lieux dans tous ses recoins, mais surtout ne touchez à rien ! Vous avez des questions ?... Bon, allons-y.

Les jeunes stagiaires s'éparpillent dans toutes les directions, sauf une jeune femme de vingt-quatre ans du nom de Nicole Jarvis. Elle préfère rester sur place et épier les faits et gestes des policiers qui l'entourent.

— Qu'est-ce qui va arriver à l'enfant ? murmure un officier à son collègue.

— Ils vont l'amener à l'orphelinat, lui répond ce dernier d'un air atterré.

— C'est triste cette histoire...

— Merde ! J'ai encore perdu un bouton de ma chemise. Ça fait trois cette semaine ! s'exclame un policier dans la cuisine.

Jamison se dirige vers le salon rejoindre Bruno Castelli, son bras droit. Castelli participe à toutes les enquêtes dont Jamison s'occupe personnellement. D'origine indienne, Castelli a été élevé par des parents adoptifs italiens qui n'ont pu résister à son regard à la fois vif et attendrissant. Il pourrait facilement prendre du galon, mais il préfère le travail de terrain. Jamison apprécie son flair exceptionnel.

— Castelli, dites-moi ce que vous savez.

Castelli est en train de consulter l'épais rapport qu'il traîne partout où il va. Il s'active depuis quelques années à monter un dossier sur plusieurs meurtres non résolus qu'il tente de relier entre eux.

— D'après le corps de police locale, il s'agirait du premier meurtre de la sorte dans leur juridiction. Les victimes ne portent aucune marque de violence autre que la nuque brisée. On ne leur connaît aucun antécédent judiciaire ni aucun ennemi. Le couple vivait seul, n'était pas marié et n'a eu qu'un seul enfant.

— Et les voisins, ont-ils été interrogés ? relance Jamison.

— Les voisins de droite, un vieux couple à la retraite, ont été interrogés par le shérif adjoint. Il a transcrit ici son entrevue avec une précision étonnante... attendez... ça y est ! *Alors que je m'adressais au mari pour savoir quand il avait vu les victimes pour la dernière fois, sa femme s'interposa et, avant même qu'il n'eût le temps d'ouvrir la bouche, répondit : « Moi, je les ai vus. Ils étaient assis sur le balcon et précisément deux minutes plus tard, ils étaient morts. » Son mari devint soudainement furieux. « Tais-toi ! Ça ne se peut pas ce que tu dis ! Merde ! Il faut encore que j'aille aux toilettes, je peux Monsieur l'Agent ? » « Faites donc ! » que je lui répondis. C'est alors que, seule avec moi dans le salon, la femme s'approcha et me chuchota, et je cite : « Vous savez mon mari aussi les a vus. Il était assis sur le balcon et faisait semblant de lire son journal. Il fait toujours ça quand la voisine sort. Elle a la mauvaise habitude d'enlever son haut de bikini pour se faire bronzer les seins. Pour sûr, chaque fois que je vois sortir mon mari avec un journal, je comprends que, de l'autre côté, Madame se balade les nichons à l'air. J'ai regardé par la fenêtre et c'était bien ça. J'étais en train de faire cuire des œufs et, comme ça fait plusieurs fois que j'avertis ma voisine de garder son soutien-gorge, je me suis énervée. J'ai réglé la minuterie à deux minutes, puis j'ai crié à mon mari de surveiller les œufs et de les retirer du feu quand ça sonnerait. Je suis sortie, j'ai traversé la clôture et je les ai trouvés morts dans la cuisine, devant leur terrasse. J'ai accouru tout de suite à la maison et pendant que je vous téléphonais, la minuterie s'est mise à sonner. Mais je vous jure que ce n'est pas moi ni mon mari qui les avons tués. Vous me croyez, Monsieur l'Agent ? »* Fin de la citation.

— C'est tout ? dit Jamison.

— Oui, c'est tout, on n'a rien d'autre, réplique Castelli en tournant les pages de son épais dossier.

— Y a-t-il des objets qui ont disparu ?

— Non, rien à première vue… Ce double meurtre s'apparente étrangement à celui du couple Rupert qu'on a retrouvé mort dans leur jardin d'enfants à Uniontown. Bon sang ! Un vrai professionnel, il n'a rien laissé au hasard, on pourrait croire qu'il est de la maison.

— Tu crois qu'il s'agit de notre homme ? s'inquiète à voix basse Jamison.

— Je ne sais pas, mais ça lui ressemble tellement.

*

* *

Dans l'autobus, sur le chemin du retour à destination de l'Académie du FBI située sur la base du corps des *Marines* de Quantico, Virginie...

Nicole Jarvis est assise seule sur un siège à deux places et regarde dehors, songeuse. Soudain, elle se redresse, passe la tête au-dessus du siège devant elle et tente d'engager la conversation, bien qu'elle se doute que ses interlocuteurs doivent être en train de dormir.

— Hé! les gars, les gars!

— Chut! Denis dort! chuchote Simon Seward. Celui-ci est à moitié endormi et son camarade Denis Robinson, avec qui il partage son siège, dort profondément la tête enfoncée dans son veston qu'il a roulé et appuyé sur la fenêtre en guise d'oreiller. Jarvis insiste.

— Eh, Simon!

— Quoi!

— Tu m'écoutes?

— Oui!

Seward tourne la tête vers elle.

— Qu'est-ce que tu veux?

— Tu as appris quelque chose dans la maison?

— Non, rien de particulier mis à part qu'il y a eu un double meurtre, ironise Seward.

— Arrête de dire des bêtises. Tu trouves ça normal qu'on nous ait fait faire toute cette route pour nous amener là? Des scènes de crime, il y en a partout.

— C'est vrai, je n'avais pas pensé à ça.

— J'ai entendu Jamison parler avec Castelli. Ils semblaient croire que ces meurtres sont liés à une série d'autres.

— Et quel est le lien avec nous?

— Je ne sais pas.

Jamison est assis à l'avant de l'autobus. Il se lève et se campe au milieu de l'allée, face aux élèves.

— S'il vous plaît! Il est temps de vous réveiller, nous arrivons.

Les têtes se mettent à bouger et les corps, à s'étirer. Jarvis se rassoit.

Jamison attend que ses étudiants aient tous l'attention fixée sur lui, puis prend la parole.

— Avant de vous quitter, je tiens à vous dire que j'ai fait afficher vos premières affectations officielles comme stagiaires sur le tableau d'affichage extérieur en bas, près des vestiaires. Bonne chance… Ah oui! N'oubliez pas de remettre votre rapport sur ce que vous venez de voir. N'hésitez pas à échafauder vos propres hypothèses quant au meurtrier et à ses mobiles. Je veux ça pour… on est jeudi… il se fait tard… disons lundi matin au plus tard, sous la porte de mon bureau.

Jamison est un opportuniste. Sous un air hautain, il cache un profond complexe d'infériorité et n'a, pour se mettre en valeur, que son titre de directeur. Il est prêt à tout pour le conserver. Il utilise donc les combines du système. Ce finaud n'hésite pas à récupérer pour lui-même tout le crédit du travail des autres. Les premiers de la classe lui fournissent parfois des traits de génie qu'il ne manque jamais de reprendre à son compte.

*

* *

Académie du FBI, base du corps des *Marines* de Quantico...

Jarvis, Seward, Robinson et les autres empruntent fébrilement les escaliers qui mènent à l'étage inférieur du bâtiment de l'Académie. Ils croisent un groupe qui sort à peine de cours et tout le monde dévale les marches dans un brouhaha infernal. Jarvis serre de près Seward et Robinson qui marchent d'un même pas. Seward desserre son nœud de cravate et détache le premier bouton de sa chemise.

— J'espère ne pas tomber sous la férule du programme Ness.

Jarvis tente de se faufiler entre les deux hommes qui l'en empêchent en se rapprochant, épaule contre épaule, tout en souriant.

— Non! disent les deux copains d'une même voix.

— Hé! Qu'est-ce que c'est? rétorque Jarvis.

— Quoi? dit Robinson.

— Le programme Ness? réplique Jarvis en fronçant les sourcils.

Robinson, qui adore parler de la chose politique, enchaîne sans plus attendre.

— Après les évènements du 11 septembre qui ont frappé New York et Washington, les seize mille corps policiers du pays, incluant le FBI, ont reçu une requête présidentielle leur demandant d'implanter des stages à l'extérieur de leurs murs afin de faciliter les échanges interservices sur les actes criminels. Le programme Ness, comme ils l'ont baptisé au FBI, consiste à envoyer des stagiaires d'ici au sein des autres services policiers. Les hommes du Président ont vendu leur idée en affirmant qu'elle permettrait aux nouveaux de se familiariser avec les différentes méthodes d'enquêtes utilisées au pays tout en ouvrant une porte d'entrée pour le FBI dans les autres services.

Seward se tourne vers Jarvis et lui tend la main pour la laisser passer entre lui et son compagnon.

— Et comme toujours, ce sont les jeunes qui écopent des nouvelles mesures.

Ils atteignent le bas de l'escalier et longent un couloir. Jarvis accélère le pas pour rester à la hauteur des deux garçons.

— Pourquoi Ness ? Qu'est-ce que c'est Ness ? Loch ? demande innocemment Jarvis.

Robinson éclate de rire.

— C'est ça, Loch Ness, le monstre que personne n'a jamais vu.

Seward penche la tête vers Robinson.

— Arrête de la charrier, ce n'est pas ça du tout. C'est pour Eliot Ness. L'incorruptible agent des années trente qui a coffré Al Capone.

Jarvis se met à rire à son tour.

— Je sais bien qui est Ness, idiots, je vous faisais marcher.

Ils arrivent en face du panneau d'affichage. Une foule compacte d'étudiants s'y bousculent déjà à la recherche de leur nom. Jarvis se fraie péniblement un chemin à travers la foule et repère son affectation la première.

Elle affiche un sourire triomphant. La place se libère et ses deux copains peuvent enfin s'approcher du panneau. Robinson trouve son nom.

— C'est pas vrai ! Je suis affecté à l'époussetage des dossiers à la pathologie ! J'ai horreur des macchabées… Et toi, Nicole ?

— Je vais travailler sur les enquêtes dans l'équipe de Jamison, dit-elle d'un air hautain et satisfait, presque pédant.

Elle sourit et poursuit en pavoisant.

— Jamison m'a appelée hier soir pour m'en informer. Il tenait à me le faire savoir de vive voix.

Seward cherche toujours son nom.

— Je l'ai… Ah non ! Ils m'envoient moisir à Sharonneville, une ville à shérifs.

3

Vendredi matin, 8 h 39, dans une villa de banlieue...

Une femme se savonne sous la douche. Elle entend un bruit venant de la cuisine.

— C'est toi?

N'obtenant aucune réponse, elle ferme le robinet. Les cheveux couverts de mousse, elle ouvre grand le rideau de douche, enjambe le bord de la baignoire, dépose son pied ruisselant sur le plancher de marbre froid et tend l'oreille. Rien. Soudain, elle se met à hurler.

— Ahhh!

Une coulée de shampooing vient de terminer sa course dans son œil droit. Elle rentre précipitamment sa jambe dans la baignoire, tire le rideau, ouvre grand le robinet, oriente la pomme de douche sur son visage et rince abondamment son œil meurtri. Puis elle met sa tête sous l'eau pour se débarrasser du shampooing quand elle sent une présence, quelque chose d'étrange. Elle s'arrête subitement, les mains dans sa chevelure mouillée et se retourne vers le rideau. D'un geste précis, une main gantée de caoutchouc transparent surgit entre le mur et le rideau de douche et saisit la pauvre femme à la gorge avec la vitesse de l'éclair. La malheureuse tente de se dégager en tirant à deux mains sur celle de son agresseur, mais en vain. Elle essaie alors de l'étrangler à son tour, mais ses bras sont trop courts et le rideau, toujours fermé. Elle est incapable d'apercevoir son assaillant. D'un large mouvement, elle est tirée hors de la baignoire et plaquée contre le mur. Ses pieds ne touchent plus le sol et ses jambes s'agitent en tous sens. L'une d'elles frappe la hanche de son adversaire, mais sans plus. Elle arrive à peine à respirer, son visage est écarlate. Elle tente un coup de pied de l'autre jambe, mais l'inconnu la saisit au vol par la cheville. Il intensifie la pression autour de son cou. Pétrifiée, elle est sur le point de s'évanouir et ses quatre membres se relâchent. Constatant que sa proie est inerte comme une poupée de chiffon, le bourreau desserre légèrement la main qui étrangle sa prise. Tout en la maintenant dans les airs au bout de son bras, il transporte la femme nue de la salle de bains à la cuisine. De sa main libre, il attrape une chaise par le dossier, la tire lentement, la fait pivoter puis y assoit la femme qui dégouline encore. Il relâche un peu plus son étreinte pour lui permettre de reprendre ses esprits. Elle revient à elle et se met à tousser. Puis elle tente de se dégager du bras qui l'assaille, mais l'étau se resserre davantage autour de son cou.

— Calmez-vous, je n'ai que quelques questions à vous poser. Puis ce sera fini.

La femme relâche le bras de son agresseur et cesse de se débattre. La main atténue son emprise.

— Très bien, vous avez compris. Quand doit revenir votre petite amie ?

La pauvre femme tente de répondre, mais ses cordes vocales sont traumatisées et il n'en sort qu'un gargouillis incompréhensible. La tenant toujours par le cou, l'agresseur soulève son autre main et caresse doucement les cheveux de sa prisonnière pour la rassurer.

— Ne forcez pas pour rien ! Contentez-vous de me faire un signe de la tête. De haut en bas pour OUI, de droite à gauche pour NON. Avez-vous compris ?

La femme esquisse un mouvement de haut en bas avec sa tête. L'assaillant cesse alors de lui caresser les cheveux.

— C'est très bien ! Va-t-elle être de retour dans moins d'une heure ?

La femme fait un mouvement de droite à gauche.

— Va-t-elle être seule ?

La femme décoche alors un coup de pied entre les deux jambes de son adversaire. Il pare le coup en lui saisissant la jambe de sa main libre. Elle réagit en agrippant le bras qui l'étrangle. Au même moment, un bruit de porte qui s'ouvre et se referme leur parvient du hall.

— Annie, ma belle, c'est moi, je suis là, j'ai fait les courses !

L'agresseur serre alors de toutes ses forces le cou de sa victime qui se débat avec l'énergie du désespoir.

Il se place derrière la chaise, incline la tête de la femme vers l'arrière et lui rompt le cou en faisant pivoter son crâne brusquement.

Crac !

Le craquement de la nuque attire l'attention de la nouvelle arrivante qui commence à s'inquiéter.

— Annie, tout va bien ?

L'agresseur surgit dans le hall. La femme tient dans ses mains un parapluie qu'elle est en train de secouer. Surprise, elle se met à hurler, se ressaisit et, sans crier gare, relève l'objet et lui enfonce l'extrémité pointue de l'armature de métal dans la jambe. Elle retire aussitôt le parapluie du quadriceps de son adversaire et, tel un fleuret, le pointe sur son thorax. Mais cette fois, il intercepte son geste en attrapant l'extrémité du parapluie et le tire vers lui pour entraîner la femme à sa portée. Il lui assène un violent coup de poing au visage. Elle s'effondre lourdement sur le sol. Le tueur la saisit par la tête et lui casse le cou d'un puissant mouvement de rotation.

4

Un peu plus tard, Sharonneville, Maryland...

Une pluie fine a tapissé la route de gouttelettes et un soleil timide, mais prometteur d'une belle journée, pointe déjà le bout de son nez. Jarvis range sa petite décapotable rouge vif juste devant le Bureau du shérif. Assis à ses côtés, Seward engage la conversation avec mille précautions.

— C'est ma première journée, ils ne vont pas me garder plus de vingt minutes, tu m'attends ?

— Pas question ! s'exclame Jarvis déterminée.

— Tu ne vas pas me laisser là ! Je n'en ai que pour quelques minutes et l'on repartira ensemble.

— Tu veux rire, c'est ma première journée avec Jamison. Je ne vais pas risquer d'arriver en retard pour tes beaux yeux.

— Non, ce n'est pas ça ! Mais il est à peine neuf heures quarante-cinq et ils ne t'attendent pas avant midi

trente. Alors, patiente vingt minutes et si je ne sors pas…
tu t'en vas. Le Bureau de Jamison n'est qu'à une heure
de route, tu peux faire ça non ?

Un des adjoints du shérif est enfoncé dans un fauteuil
à bascule sur le perron. Il imprime un léger bercement
du plat de son pied gauche tandis que sa jambe droite
est étendue de tout son long, en appui sur son talon. De
son belvédère, il observe attentivement la scène comme
s'il était au cinéma. Il scrute les yeux, puis la bouche, les
cheveux et les vêtements de chacun des deux belligérants.
Jarvis réfléchit un moment et les pourparlers reprennent.

— D'accord, je vais t'attendre.

— Tu es vraiment gentille, je ne serai pas long.

— C'est bon.

— J'en ai pour deux minutes.

— C'est ça… Hé ! tu n'oublies pas que tu dois venir
souper chez moi ce soir avec Denis.

— Oui oui, on sera là !

Seward descend du véhicule. À peine a-t-il posé ses
deux pieds sur le sol et sortit ses effets personnels et une
boîte de beignets que la belle démarre en trombe.

— Bye !

— Ah non ! Attends ! Reviens !… Merde !

Jarvis lui glisse un sourire, puis lui fait un doigt
d'honneur comme elle a l'habitude de le faire. En
moins de temps qu'il n'en faut pour le dire, elle s'est
volatilisée, laissant derrière elle une épaisse fumée
noire. Seward prend une grande inspiration.

— Tu es moche ! Va te faire voir… Je t'aime !

Il se retourne et regarde nerveusement en direction
de l'adjoint dont il avait oublié la présence. L'homme,

impassible, continue de se bercer. Les bras chargés, Seward franchit la porte du vieux poste. Un carillon retentit. On se croirait dans une confiserie. L'adjoint sort de sa torpeur, arrête le mouvement du fauteuil à bascule, tourne lentement sa tête et concentre son regard sur la nuque de Seward qu'il peut apercevoir à travers le carreau situé juste à côté de la porte.

Le jeune stagiaire se retrouve directement face à l'imposant meuble de bois massif qui sert de bureau au shérif. Ce dernier, affalé dans sa chaise pivotante, lui tourne le dos et parle au téléphone. Il se retourne au bruit du carillon. Il a l'air terriblement agacé. De la main, il indique à Seward de s'asseoir sur une des chaises alignées le long du mur. Seward s'exécute aussitôt. Il dépose ses effets personnels sur une chaise et s'assied le dos bien droit en gardant la boîte de beignets sur ses genoux, laissant paraître son extrême fébrilité. Se sentant épié, il regarde derrière lui et croise les yeux de l'adjoint toujours assis sur le perron. Les deux hommes se mesurent du regard. Seward esquisse un léger rictus et l'adjoint détourne le regard en hochant la tête de droite à gauche. Le shérif, quant à lui, ne le perd pas un instant de vue, tout en écoutant attentivement son interlocuteur. Soudain, son visage devient tout rouge.

— Vous savez où ils peuvent se le mettre le programme de ce président élu par le tribunal ! C'est bon.

Il raccroche violemment le combiné.

— Biff, Puce ! Venez par ici !

Les deux hommes, baraqués comme des ours, s'avancent en tournant leur regard dans la même direction que celui de leur chef, soit sur Seward et sa boîte de beignets. Les deux adjoints se placent de chaque côté de leur patron. Puce enfile ses pouces dans sa ceinture et remonte son pantalon. Biff appuie ses deux énormes poings sur le bureau du shérif.

— Qui c'est, chef?

— Le Bureau du maire vient de m'informer qu'on devait accueillir un certain Ness, lui répond le shérif, les dents serrées.

Seward leur présente alors sa boîte de beignets.

— Bonjour Messieurs, j'ai apporté des beignets !

5

Vendredi, 15 h, université de Boston, Massachusetts...

Un homme soigné est campé derrière la table du professeur et observe les élèves qui entrent dans la classe dans un joyeux tohu-bohu. Il attend en silence que chacun choisisse un siège. Il regarde sa montre et écrit le titre du cours au tableau. Les élèves s'assoient et se taisent peu à peu. Puis le calme fait place aux railleries nerveuses des jeunes. Le professeur consulte sa montre de nouveau. Trois retardataires font leur entrée en jacassant. Ils se taisent aussitôt en voyant tous les regards converger vers eux. Ils se dirigent au fond de l'enceinte et s'y assoient. Les yeux se tournent de nouveau vers le professeur toujours debout devant le tableau.

— Bon, je crois que tout le monde est là. Bonjour, je m'appelle Auguste Neumann. Soyez les bienvenus au cours *Psychanalyse animale.* J'aimerais vous préciser d'entrée de jeu que cette session ne sera pas consacrée à une psychanalyse qui enseigne comment traiter les humains afin de les insérer le plus rapidement possible dans notre société artificielle au mépris de leur essence. D'autres le font beaucoup mieux que moi. Je vous inviterai plutôt à découvrir ce qu'attend de vous celle-là même qui est votre véritable raison d'être et qui est implantée au plus profond de votre âme : la vie. La vie pour qui vous n'êtes qu'un porteur parmi tant d'autres. Vous verrez que, même si vous croyez pouvoir justifier vos actions que sur la stricte morale édictée par la société, qu'elle soit en accord ou non avec les lois naturelles, vos instincts ressurgiront tôt ou tard en tourmentant votre conscience.

Accepter la vie n'est pas facile, croyez-moi ! Dans ce cours, on ne fera pas dans la dentelle. Je ne tenterai pas de vous convaincre que l'Homme est un être supérieur. Pour ça, il existe dans ce pays toutes les sectes possibles pour échapper à la réalité. Si vous avez besoin de vous sentir le fruit d'un quelconque produit autre que le sperme et l'ovule de vos parents pour expliquer votre présence sur terre, vous n'apprécierez pas mon art à sa juste valeur, je tiens à vous en prévenir. Car ici, nous allons apprendre à développer notre propre estime de soi en fonction de ce que nous sommes réellement et non à travers nos fantasmes. *La maturité est la perte de ses croyances,* énonce-t-il d'une voix forte pour bien marquer l'importance de cet axiome.

Neumann aime bien être direct lors de sa première rencontre avec un nouveau groupe, de façon à éloigner ceux qui, parmi les élèves, ne sont pas encore prêts à suivre son cours de psychologie.

— Aujourd'hui, je note que vous avez apporté votre matériel scolaire et c'est normal. Mais à l'avenir, je ne veux voir aucun cahier, ni cartable, ni portable sur vos pupitres. Vous les déposerez dans ce coin en entrant. Vous n'aurez besoin que de votre tête.

Sur son bureau, on ne voit qu'un seul livre écorné dont il est l'auteur. Dès sa sortie, quelques années auparavant, cet ouvrage ne s'était vendu qu'en milieu universitaire et encore là, il avait été boudé par l'élite intellectuelle qui n'aime pas les propos qui dérangent et remettent en question leur propre conception de la vie. Il avait cependant trouvé preneur chez les juristes et dans les milieux d'enquêtes criminelles, là où l'on évalue la valeur d'une théorie à son efficacité sur le terrain plutôt qu'au verbiage de sommités. Neumann s'approche de son bureau et brandit le livre.

— Vous pourrez vous munir de ce livre, mais ce n'est pas obligatoire.

Il tend l'ouvrage à une élève assise dans la première rangée.

— Faites-le circuler s'il vous plaît. Vous pourrez en prendre connaissance dès aujourd'hui. Vous en trouverez également quelques exemplaires à la bibliothèque.

Neumann retourne à son pupitre, tire la chaise et ouvre sa serviette. Il en retire les copies de son plan de cours et en fait lui-même la distribution tout en poursuivant son discours.

— Pour ceux qui choisissent leurs cours en fonction des nuits blanches qu'ils pourront consacrer à la danse plutôt qu'à l'étude, vous serez gâtés. Je n'impose ni devoir, ni travail long, ni aucun examen écrit. Je vous évaluerai au moyen d'une rencontre individuelle d'une dizaine de minutes, dans un face-à-face avec votre humble serviteur. Je vous présenterai trois questions, vous en choisirez une et à vous de faire le reste.

Tous se mettent à rire. Neumann a le don de trouver les tournures de phrase qui laissent transparaître sa sympathie pour ses étudiants. Il consacre ensuite quelques minutes à la lecture de son plan de cours avant de répondre à leurs interrogations et de calmer leurs appréhensions. Puis il lève la séance.

— Voilà, c'est tout pour aujourd'hui. Dehors il fait soleil, je ne vous retiendrai pas plus longtemps. Allez savourer votre jeunesse, ça passe vite ! J'aurai le plaisir de vous revoir la semaine prochaine… lundi matin si je me rappelle bien, et de passer une session des plus instructive avec vous. D'ici là, je tâcherai de mémoriser les noms associés à vos photos qui se retrouvent dans le nouveau carnet des étudiants qu'on m'a remis ce matin.

Bien sûr, Elizabeth McGill et sa bande seront de retour. Elizabeth est une fille à papa. Son père est un fortuné banquier de Wall Street, ce qui ne la rend pas plus sympathique et humaine pour autant. Malgré le fait qu'elle soit plus maléfique que brillante, ses origines familiales la désignent comme le centre d'attraction et elle compte bien le demeurer. Elle a enfin trouvé le cours qu'elle recherche tant depuis son inscription à la faculté de psychologie. Pas tant pour apprendre le comment et le pourquoi profonds de l'humanité qui l'entoure. Mais elle espère plutôt acquérir le savoir pour manipuler les autres mieux qu'elle ne le fait déjà.

— *S'il existe un homme capable de comprendre en quelques minutes les autres mieux qu'ils ne sauraient le faire eux-mêmes, Neumann est bien celui-là*, pense-t-elle.

Pour l'instant, il ne l'impressionne pas vraiment, mais il lui semble prometteur. La jeune fille et ses trois inséparables copines se sont précipitées dans la salle de cours avant les autres étudiants afin de se réserver les places situées à l'extrémité droite de la première rangée. Tout au long de la présentation de Neumann, elles n'ont cessé de ricaner et d'échanger des billets concernant un jeune homme aux cheveux noirs assis plus haut dans la classe. Elizabeth a remarqué qu'il portait une attention toute particulière à une blonde assise devant lui, mais qu'il ne tournait jamais son regard vers elle et ses amies malgré leurs simagrées. Elle en est sérieusement offusquée. Alors que les élèves s'apprêtent à partir, le regard de Neumann croise celui d'Elizabeth qui se lève d'un bond et apostrophe le professeur d'une voix forte et claire. Le reste du groupe s'arrête et attend la suite dans le silence le plus total. Tous les regards convergent vers elle, ce qu'elle adore par-dessus tout.

— Pardon, Monsieur, Elizabeth McGill ! Si vous le permettez, j'aimerais prendre la parole en tant qu'organisatrice des festivités du début de session !

— Faites donc, Mademoiselle, depuis le début du cours vous n'avez cessé de chuchoter, je me doutais bien que vous finiriez par prendre ma place un jour!

Tout le monde se met à rire. Elle en reste bouche bée. Neumann vient déjà de la surprendre. La session s'annonce plus prometteuse qu'elle ne l'aurait cru. Elle se ressaisit, croise les bras et esquisse un léger sourire. Elle s'avance et se retourne pour s'adresser à l'ensemble des étudiants.

— Samedi de la semaine prochaine, ce sera notre journée de bienvenue ou, si vous préférez, d'initiation. Le thème de cette journée vous sera précisé vendredi prochain. Vendredi soir, le comité formé de mes trois copines ici présentes, Lucy Picard, Catherine Oliver et Ali Morgan ainsi que de moi-même se réunira au musée, soit sur les lieux mêmes où se déroulera la petite fête. Quiconque parmi les nouveaux sera surpris à rôder dans ce secteur ce soir-là subira une sévère punition lors des activités. Merci.

Les élèves se lèvent et se dirigent vers la sortie. Seule la jeune fille blonde reste assise et attend que la classe se vide. Lorsqu'il ne reste plus personne, elle s'avance vers Neumann, qui est occupé à consulter son emploi du temps. C'est une fille d'une minceur quasi squelettique, à la chevelure bouclée et tellement fine qu'on dirait des cheveux d'ange. Elle aborde timidement son professeur. Elle a une voix douce, calme et hésitante.

— S'il vous plaît, Monsieur, pardon?

En apercevant la jeune fille, Neumann blêmit.

— Oui, répond-il d'une voix qui dissimule mal l'émoi qu'elle provoque en lui.

— J'ai besoin d'aide. Faites-vous de la thérapie ?

— Je suis désolé, Mademoiselle, mon agenda est rempli pour l'instant.

Neumann lance spontanément cette phrase pour se sortir de l'impasse. Il est vrai que son agenda est complet. Mais sa réponse est plutôt motivée par un mécanisme de défense contre une vieille angoisse depuis longtemps réprimée que la jeune fille vient de réactiver. Pour créer une rupture, Neumann baisse la tête et se retourne pour effacer le tableau. La jeune étudiante se détourne, les larmes aux yeux, et franchit la porte de la classe déserte. Elle se précipite vers les toilettes où elle s'enferme pour pleurer.

*
* *

Quelques minutes plus tard, elle se dirige vers les escaliers, descend les marches qui mènent à la sortie, tourne à droite et s'engage dans un long couloir de vestiaires. En arrivant à son extrémité, elle aperçoit Elizabeth et sa bande qui discutent. Elles sont appuyées dos aux vestiaires, deux de chaque côté. La jeune fille ralentit, hésite, puis poursuit sa route comme si de rien n'était. À peine s'est-elle engagée entre les deux premières qu'elle commence à se faire bousculer. Elle parvient enfin au bout du couloir, mais Elizabeth lui fait un croc-en-jambe. Elle s'écroule et laisse échapper les deux livres qu'elle transportait. Les quatre filles croulent de rire.

— Regarde où tu marches ! crie Lucy.

— Tu n'as pas appris à mettre un pied devant l'autre ! relance Catherine.

— Achète-toi une canne si tu es aveugle, pauvre conne ! renchérit Lucy.

Le souffre-douleur se relève péniblement, se penche pour ramasser un premier volume et tente de saisir le second lorsqu'une main le lui tend.

— Je m'appelle Blair Dexter.

Il s'agit du beau garçon qui n'a eu d'yeux que pour elle durant tout le cours et dont Elizabeth n'aime pas du tout l'intérêt qu'il lui porte. La jeune fille saisit le livre et s'enfuit. Le jeune homme, interdit, reprend peu à peu ses esprits.

— J'espère qu'on va se revoir ! Hé ! Quel est ton nom ?

Dexter veut s'élancer derrière elle, mais un de ses amis, en tenue de sport et ballon à la main, le retient par le bras.

— Tu viens jouer au basket, Roméo ? Il nous manque un joueur.

Dexter regarde en direction de la jeune fille, mais elle est déjà loin et son ami capte son attention en lui lançant le ballon. Ses pensées se détournent de la belle qui fait pourtant vibrer son cœur.

— O.K., allons-y !

— Ouais !

Les deux copains se dirigent vers le gymnase. À l'autre bout du couloir, derrière les quatre filles, Neumann a assisté à toute la scène. Il quitte les lieux en empruntant une autre direction avant que les quatre malignes ne se retournent. Elizabeth a bien vu dans le regard de Dexter qu'il est follement amoureux, mais ce n'est pas d'elle. Les bras croisés, elle enrage.

— La salope, elle va me le payer !

— Elle partage le même appartement que moi, l'informe Ali.

— Ah oui ! Alors, on va lui rendre une petite visite, réplique Elizabeth d'un ton haineux.

Neumann sort par l'arrière de l'établissement, gagne le parking en toute hâte et monte dans sa voiture. En chemin, il aperçoit la jeune fille qui vient de se faire bousculer. Neumann la rejoint, ralentit, se range à sa hauteur et baisse la vitre côté passager.

— Mademoiselle ! Mademoiselle !

La jeune fille se retourne et s'arrête lorsqu'elle reconnaît le professeur au volant de sa décapotable.

— J'oubliais qu'à cette période de l'année, il y a toujours une ou deux annulations ; si cela vous convient toujours, voici ma carte.

Neumann tend sa carte à l'étudiante qui hésite un peu avant de s'approcher de la voiture. Elle s'avance et la saisit. Neumann poursuit.

— Téléphonez à ce numéro et dites à ma secrétaire que c'est moi qui vous envoie. Elle est très compétente, elle saura vous arranger un rendez-vous. Au fait, comment vous appelez-vous ?

— Jennifer Robert, répond la jeune fille bouleversée.

Neumann lui tend la main qu'elle serre timidement. En plaçant son index sur son poignet, il remarque que son cœur bat la chamade.

— Avez-vous du mal à respirer ?

Jennifer baisse les yeux.

— Oui, mais ça va mieux.

— Ne vous inquiétez pas. Ce n'est pas une crise cardiaque, vous faites une légère crise de panique. On en ferait une à moins. Reposez-vous un peu et allez vous amuser, tout va s'arranger. Passez une bonne soirée, Mademoiselle Robert. À lundi !

Neumann sert un beau sourire à Jennifer et reprend sa route.

6

En fin d'après-midi, au Bureau du shérif de Sharonneville...

Chacun travaille tranquillement dans son coin. Le silence qui règne présage les plaisirs du week-end. Le téléphone résonne soudain dans tout le Bureau. Le shérif décroche et prend un air grave.

— On arrive tout de suite !

Il raccroche, attrape son chapeau et bondit de son siège.

— Venez avec moi les gars, une fillette vient de trouver sa mère morte en revenant de l'école et il y aurait un autre cadavre. Le meurtrier est peut-être encore dans les parages. Ness, tu restes ici pour prendre les messages, on t'a sûrement appris à te servir d'une radio au FBI ?

— Oui ! Pardon, Monsieur !

— Quoi ? s'exclame le shérif sur un ton sec et irrité.

— Non rien.

Ness, comme on surnomme désormais Seward, transporte une pile de dossiers que le shérif lui a demandé de saisir sur informatique. Il aurait préféré se joindre à l'équipe pour participer à cette enquête et se retrouver sur les lieux d'un crime, plutôt que de rester à jouer les informaticiens, mais il n'ose pas formuler sa requête. Il se contente donc de déposer ses lourds dossiers sur le coin d'une vieille table bancale qu'on a daigné lui accorder pour la durée de son stage et de sortir sur le perron comme s'il partait avec les autres. Pantois tel un petit garçon, il dévore des yeux les voitures de police qui démarrent en vrombissant, toutes sirènes hurlantes. La scène ravive en lui la douleur provoquée par la fuite impromptue de Jarvis plus tôt dans la matinée. Il consulte fébrilement sa montre et se dit que Robinson, à qui il a téléphoné sur le coup de midi, ne devrait plus tarder. Son regard s'arrête sur le cow-boy solitaire toujours assis dans son fauteuil qu'il balance au même rythme depuis la matinée. Il n'a pas bronché d'un poil. Seward se décide à rompre le silence qui sépare les deux hommes.

— Vous n'allez pas avec eux ?

L'adjoint, manifestement dérangé, arrête subitement son fauteuil, plie lentement sa jambe droite, pivote en direction de Seward et lève légèrement la tête.

— Non…

Il avance sa main vers Seward.

— Moi, c'est Bob.

Seward la lui empoigne avec force en le regardant droit dans les yeux comme on le lui a appris à l'Académie. Mais son geste est saccadé et manque de naturel, trahissant sa profonde nervosité.

— Salut. Moi, c'est…

— Ness, je sais !

Seward retrousse les lèvres en un léger sourire agacé.

— Pourquoi n'y allez-vous pas ?

L'adjoint pointe sa jambe. Seward remarque alors que son pantalon est déformé par ce qui lui semble être un bandage entourant sa cuisse.

— Que vous est-il arrivé ?

— Oh rien ! une bêtise. Je ne me ferai plus prendre.

Seward a appris dans ses cours de psychologie que les gens adorent se raconter. Ils cherchent ainsi à capter l'attention et l'approbation de ceux qui les entourent. Il lui suffira de se taire et d'écouter pour saisir l'occasion d'en connaître plus sur les mœurs des villageois avec qui il va devoir passer le reste de son stage.

— Vous êtes du coin ?

— Oui, mes parents habitent un peu plus bas, dans le Sud.

— Qu'est-ce qu'on fait pour tuer le temps par ici ?

— De la route et rester assis sur une chaise à regarder passer la vie. C'est ce que j'aime par-dessus tout. Du reste, il n'y a pas grand-chose de plus à faire sur cette planète, Petit. J'ai la chance d'exercer un métier qui me permet de combler pleinement tous mes désirs.

— Je ne comprends pas ?

— J'aime faire de la route et être assis. Un policier qu'est-ce que ça fait ?

— Oui, oui, d'accord, je comprends la blague.

— La fille qui t'a accompagné ce matin, c'est ta petite amie ?

— Qui ?

— La blondinette qui t'a accompagné ce matin.

— Ah oui ! Nicole ! Non, j'aimerais bien, mais elle hésite. C'est une collègue, sans plus. On a débuté en même temps à l'Académie. Un jour, alors que ça faisait des mois que j'essayais de lui parler et que je ne savais toujours pas comment lui dire que je m'intéressais à elle, vous savez ce que c'est ?

— Ouais, ouais, bien sûr.

— J'attendais mon ami Denis à la cafétéria, un garçon très brillant qui est en stage au labo du FBI. Enfin bref, alors que je l'attendais, il est arrivé avec elle. Ils suivaient un cours ensemble… et se sont assis à ma table. Elle s'est mise à me parler comme si elle me connaissait depuis toujours. À partir de cet instant, on ne s'est plus jamais quittés et l'on est devenus amis. Dès lors, chaque fois qu'on le peut, on change de classe pour rester ensemble tous les trois. Ça nous rassure de savoir qu'on peut toujours compter sur quelqu'un dans nos cours. J'adore deviner les questions que les profs poseront aux examens. Denis a toujours été doué pour la recherche…

— Et la fille est habile pour charmer les professeurs lorsque vient le temps de présenter vos travaux.

Seward est surpris par la précision du tir de son vis-à-vis. Il enchaîne.

— Ouais, c'est ça. Je ne l'aurais pas dit comme ça, mais on peut dire ça.

Seward comprend soudain qu'il parle plus qu'il n'écoute et que d'interrogateur, il est passé à interrogé. C'est lui qui raconte sa vie au shérif adjoint et non l'inverse. Il tente de renverser la vapeur et de reprendre le contrôle de la conversation.

— Vous êtes marié ?

— Non !

Sa transition est un peu lourde et la question trop fermée pour amener l'officier à s'ouvrir à son tour. Seward essaye de nouveau.

— Vous êtes divorcé ?

— Non plus, j'ai toujours été célibataire et c'est bien comme ça. Dans notre société, il faut posséder beaucoup pour réussir à donner un peu. N'importe qui peut faire des enfants et prétendre les aimer. Mais pour dire qu'ils sont aimés, ça prend beaucoup plus que ça. Et pour s'en occuper correctement, il faut beaucoup, beaucoup plus que ça encore.

Seward est fier, car, même si le propos de son nouveau collègue lui semble sibyllin, il sent qu'il a réussi à ouvrir une porte et à le faire parler de sa vie personnelle. L'adjoint poursuit.

— Tu aimes vraiment cette Nicole ?

Le vieux est rusé, il vient de recentrer Seward sur lui-même. Après sa brève victoire, Seward doit se remettre sur la défensive. Il comprend que, s'il ne répond pas à la question de l'adjoint, celui-ci interprétera son refus comme une volonté de sa part de garder ses distances et la conversation perdra son ton amical. Il doit répondre avec parcimonie sans quoi il n'arrivera plus à se concentrer et perdra la donne au profit du policier.

— Bien sûr, j'en suis fou ! *Merde, je suis cuit...* se dit-il.

Heureusement, le shérif adjoint ne le laisse pas se pendre avec la corde qu'il s'est lui-même passée au cou.

— Cheveux attachés serrés, lèvres pincées, gestes secs et saccadés... Je vais te donner un bon conseil, Petit. Oublie cette fille. Le doigt qu'elle t'a envoyé ce matin dénote une absence totale d'estime pour ta symbolique phallique.

Seward reste interloqué.

— Ma quoi ?

— Ton membre viril. De plus, elle t'a planté là, ce qui veut dire qu'elle n'a pas de respect pour ta personne. Elle se retient pour ne pas te dire que tu es idiot, car elle retire un profit à te garder à ses côtés. Elle a préféré s'enfuir plutôt que de discuter, car elle n'avait aucun argument moral pour ne pas t'attendre et elle refuse de t'être serviable. Bref, elle n'en fait qu'à sa tête et être attentionnée ne fait pas partie de ses plans. Ton amie a peur que tu découvres qui elle est réellement. Où allait-elle lorsqu'elle t'a laissé en plan ?

— Au travail, répond Seward totalement désorienté par les observations du shérif adjoint.

— Conduit-elle à vive allure ?

— Pardon ?

— Elle râle au volant ?

— Quoi ?

— Klaxonne-t-elle sur tout ce qui bouge ? Injurie-t-elle tous ceux qu'elle croise ?

— Elle a du caractère ! Mais…

— Je suis sûr qu'elle paie ses factures toujours à la dernière minute.

— C'est normal… Elle est très occupée.

— N'accumule-t-elle pas des contraventions qu'elle conteste systématiquement ?

— Elle se défend, et comme elle a une personnalité forte…

— Emploie-t-elle constamment le *je-me-moi-mon-ma* ?

— Je n'ai pas remarqué.

— C'est du narcissisme. Elle a le cou constamment tendu, signe qu'elle se retient pour ne pas exprimer son agressivité. Elle tient son dos bien droit pour dominer les gens afin de les empêcher de la juger. Elle doit constamment lutter pour garder le contrôle d'elle-même. Comme elle ne peut jamais se détendre, elle est toujours prête à exploser. Je suis certain que ta petite amie n'hésite pas à verser quelques larmes lorsqu'elle se sent piégée pour montrer qu'elle se soumet à l'autorité, afin de s'attirer la sympathie de son entourage. Elle ne se soucie guère de défendre la bonne cause ou de mériter ce qu'elle obtient ; ce qui compte avant tout pour elle, c'est le pouvoir…

— Ça fait plus d'un siècle que la phrénologie n'est plus considérée comme une science, mais comme de la fabulation ésotérique, lance Seward décontenancé.

Il tente par cette ultime attaque de freiner l'élan inquisiteur de l'adjoint, mais ce dernier poursuit de plus belle.

— Elle porte souvent des pantalons ?

— Non, oui, je ne sais pas.

— Adopte-t-elle un vocabulaire dénigrant lorsqu'elle parle des autres femmes ? Induit-elle des allusions sexuelles ? Fait-elle des blagues qui la mettent subtilement en valeur tout en rabaissant les autres femmes ? A-t-elle un rire outrageant ? Est-elle toujours sur le pied de guerre ?

— Je ne sais pas, balbutie Seward, désarçonné.

— En bref, je crois que ton amie a tout d'une psychopathe. A-t-elle obtenu un poste dans l'équipe d'un grand manitou du FBI ?

Seward a croisé les bras et commence à s'impatienter, mais au fond de lui-même, quelque chose lui dit qu'il doit continuer à écouter.

— Oui, lance-t-il, agacé par la perspicacité de son aîné.

— Je l'aurais parié ! Il croit sûrement qu'elle pourra l'aider à pourchasser les fous en liberté puisqu'elle leur ressemble. Il l'a choisie pour faire son sale boulot. Les tests psychologiques démontrent que ce genre de personne accomplit froidement son travail sans aucun affect. Si elle n'offre pas de résultat concluant, son patron la balancera sans le moindre remords.

— Je croyais que vous étiez shérif adjoint, pas psychiatre, se défend Seward qui commence à trouver le personnage insolent.

— On est payé pour observer, ne l'oublie jamais.
Lorsque tu croises une personne pour la première fois,
ton cerveau prend moins de quatre secondes pour juger si
tu dois t'en approcher ou non. À partir de la cinquième,
c'est ta capacité à analyser l'environnement qui fait
la différence entre vivre ou mourir. Chaque seconde
compte. Tu n'es pas dans le bureau d'un psy à la con qui
écoute les problèmes des autres pour oublier les siens.
Ici, si tu n'as pas appris à juger les gens rapidement,
c'est toi et tes collègues qui en paierez le prix. Au milieu
des années quatre-vingt, une psy en milieu carcéral
tomba sous le charme d'un de ses patients, prisonnier
en établissement fédéral. Après quelques rencontres,
il lui déclara son amour. Il lui baratina que, depuis
qu'il l'avait rencontrée, il voulait changer et qu'il était
prêt à recommencer une nouvelle vie avec elle. Elle
fut tellement subjuguée qu'elle se porta garante de la
libération conditionnelle de son nouvel amour. Le jour
même de sa sortie, elle lui avait donné rendez-vous non
loin de la prison, dans un établissement de passage. Le
lendemain, la femme de chambre découvrit le corps de
cette pauvre femme, les membres attachés aux quatre
coins du lit et le cou enserré de ses propres bas de nylon.
Son patient l'avait étranglée sans même la consommer…
Dans notre métier, il faut se méfier de tout le monde. Le
plus gros de notre tâche consiste à patrouiller sur les
routes et à refiler des contraventions à de pauvres types
qui se croient les maîtres du monde lorsqu'ils défient
l'autorité en contrevenant aux panneaux de signalisation.
On ne passe pas notre vie à sortir notre arme. Jusqu'au
jour où l'on croise le bon. Si tu as baissé la garde, alors

c'est que tu n'auras rien compris au métier de flic et tu laisseras filer celui pour qui les contribuables paient des taxes pour te former.

Robinson arrive sur l'entrefaite et gare sa voiture devant le Bureau du shérif. Il présente ses salutations à l'adjoint et à Seward.

— Tu t'amènes ? crie-t-il à Seward.

— Ouais ! lui répond Seward.

Puis il hoche la tête en regardant l'adjoint, soulagé de pouvoir enfin mettre un terme à une conversation qui le déstabilise plus qu'il ne veut se l'avouer.

— Excusez-moi Bob, je dois y aller.

Il file à l'intérieur du poste, décroche son veston et ressort aussitôt. Il salue l'adjoint une dernière fois et saute dans le véhicule qui s'éloigne à toute vitesse.

— Qui était-ce ? demande Robinson.

Seward sort subitement de l'univers dans lequel Bob l'a plongé.

— Zut, excuse-moi ! J'ai oublié de te le présenter. Il s'appelle Bob… C'est un représentant typique de notre bonne vieille extrême droite de l'Amérique profonde, paranoïaque et misogyne à souhait.

7

Au même moment...

Trois voitures du Bureau du shérif arrivent en trombe sur les lieux du crime et les trois représentants de l'ordre sortent en toute hâte. Biff tient son douze à pompe dans ses mains. Le shérif se dirige vers la porte principale de la maison.

— Biff, fais le tour ! Il est peut-être en arrière.

Le shérif et son adjoint Puce pénètrent dans la maison, revolver au poing. Le shérif enjambe un corps qui gît devant la porte et poursuit sa route. Puce se penche sur le corps inerte pour tâter son pouls et constate le décès. Les deux policiers inspectent minutieusement la maison pièce par pièce. Lorsqu'ils sont assurés que le meurtrier n'est plus sur les lieux, ils rengainent leur arme et se détendent.

D'un œil habitué, le shérif analyse brièvement la scène du crime. Une forte odeur d'eau de Javel émane du hall d'entrée à l'endroit même où il manque un morceau de tapis. C'est le seul indice qu'il repère. La maison est étincelante et tous les objets semblent à leur place. Il est certain qu'il ne se trouve pas sur le lieu d'un vol qui a mal tourné.

— *La victime dans le hall d'entrée est morte après s'être débattue, mais elle ne porte aucune trace de violence sexuelle. Son corps bloque le passage, elle a dû surprendre son meurtrier*, se dit le shérif avant de passer dans la cuisine où il rejoint Puce qui examine le cadavre d'une femme affaissée sur une chaise.

— Merde, chef! La fille est entièrement nue et il n'y a pas la moindre trace de viol. On dirait qu'on l'a étranglée. Elle a des ecchymoses autour du cou et on lui a brisé la nuque, sans plus. Bon sang, sur quelle sorte de malade sont tombées ces pauvres filles?

Soudain, Biff entre par la porte de la cuisine avec la délicatesse de ses cent cinquante kilos. Le shérif et Puce sursautent et dégainent leur arme en se retournant. Pendant un instant, ils s'étaient mis à la place de la pauvre femme pour comprendre ce qui avait bien pu se passer et l'intrusion subite de leur imposant collègue leur glace le sang. Biff ne réagit même pas.

— Il n'y a personne autour de la maison, chef!

— Bon sang, tu nous as fait une de ces peurs! réplique le shérif en rengainant maladroitement son arme.

Derrière Biff, le shérif aperçoit une femme qui tient par la main une fillette impassible. Toutes deux essaient de voir ce qui se passe à l'intérieur.

— Qui sont-elles ? demande le shérif à Biff.

— Qui ça ? questionne à son tour l'adjoint totalement ébahi.

Le shérif pointe du doigt la cour arrière. Biff se retourne.

— Oh ! C'est une voisine. La fillette est accourue chez elle après avoir découvert les corps. C'est la dame qui nous a appelés.

— Elle a vu quelque chose ? relance le shérif.

— Non, elle dormait. C'est la petite qui l'a réveillée.

— Elle connaît l'homme qui habite ici ?

— Non. Elle m'a dit que les deux femmes vivaient ensemble... Des gouines quoi !

— Pauvre petite... il commence à être tard. Retourne demander à la fillette si elle a de la famille qui peut s'occuper d'elle. Sinon, il faudra la confier aux services sociaux. J'espère qu'elle ne sera pas obligée de passer la nuit à l'orphelinat.

— Oui, chef !

— Puce, prends-moi tout ça en photos. J'appelle la morgue et les autres. Cette histoire-là, ce n'est pas pour nous, commente le shérif en traversant le hall pour gagner sa voiture.

« Les autres », c'est leur façon de désigner le FBI entre eux.

8

Vendredi soir, Woodbridge, Virginie…

Après une heure de route, une bonne douche et des vêtements propres, Robinson et Seward arrivent enfin au parking devant l'immeuble où Jarvis s'est choisi un nouvel appartement. Cette dernière a sous-loué ce logement dès qu'elle a compris qu'elle serait affectée à l'équipe de Jamison. Elle a donné rendez-vous à ses deux compères pour pendre la crémaillère et échanger sur leur première journée de stage. Les garçons franchissent la porte d'entrée de l'immeuble, longent le couloir et montent deux à deux les marches en chahutant. Ils croisent une belle femme. Armé d'une boîte de chocolats et d'une bouteille de vin, Robinson repousse Seward et son énorme bouquet de fleurs pour laisser passer la demoiselle. Cette dernière amorce un sourire en regardant furtivement Robinson dans les yeux.

— Merci !

— Je vous en prie, Mademoiselle ! réplique Robinson, intimidé.

La jeune femme détourne son regard et poursuit sa descente en replaçant gracieusement ses cheveux derrière ses oreilles. Robinson porte sa main droite sur son cœur et simule un mouvement de palpitation.

— Si elle se retourne, je tombe amoureux !

— Arrête tes conneries ! rigole Seward qui a l'habitude des bouffonneries de son ami.

La fille sort de l'immeuble sans un regard en arrière. Robinson lève les yeux au ciel.

— Mais, pourquoi les filles ne se retournent-elles jamais ?

— Peut-être parce qu'elles ignorent qu'elles doivent se retourner pour que tu leur parles. Allez monte !

Robinson reprend sa route.

— Ouais… je voulais te dire, il y a un truc que je ne comprends pas. Tu sais les deux grands blonds, ceux qui te talonnent pour les meilleurs résultats. Et bien, tout comme toi, ils ont été envoyés dans des villes perdues.

— Où est le problème ?

— Tu ne trouves pas ça étrange, toi, que Nicole ait été sélectionnée dans l'équipe de Jamison ? Je l'aime bien, mais tu as sûrement remarqué qu'elle est émotive, plutôt instable et qu'elle coupe souvent la parole aux autres. De plus, je sais que cela ne veut pas dire grand-chose, mais c'est loin d'être celle qui a obtenu les meilleurs résultats académiques.

Seward le regarde, songeur. Robinson poursuit.

— Il y a toutes sortes de rumeurs qui circulent à son sujet. Une sorte de mystère flotte autour d'elle. Elle ne se mêle pas beaucoup aux autres et elle est très discrète sur sa vie d'avant le FBI. Moi, on sait que je viens de l'Ohio, que mon père était dentiste et ma mère infirmière, que j'ai deux sœurs, que j'aime le sport et les belles filles malgré le peu de succès que j'ai auprès d'elles. Je mesure 1 m 75, j'ai un léger surplus de poids et je déteste les cravates. Toi, je sais que tu viens du Maine, que tu es petit-fils et arrière-petit-fils de policiers, que tu as une sœur drôlement plus mignonne que toi, que tu mesures environ 1 m 80, que tu as les cheveux noirs et que tu raffoles des romans policiers. Mais si je pense à Nicole, tout ce qu'on en sait, c'est qu'elle est blonde, qu'elle mesure 1 m 70… et… voilà tout !

Arrivé devant la porte de l'appartement de Jarvis, Seward frappe tout en répliquant.

— Mais, est-ce que…

— Entrez, c'est ouvert ! s'écrie Jarvis de sa cuisine.

Ébahis, Seward et Robinson échangent un regard désapprobateur avant d'obtempérer.

— Ça fait combien de fois que je te dis qu'on ne laisse pas une porte ouverte ! peste Seward.

Jarvis est en train de finir de dresser la table. De la cuisine, elle peut entendre ses invités, mais pas les voir.

— Denis, veux-tu aller me chercher des serviettes ? demande-t-elle en faisant fi de la réprimande.

— Où ça ?

— Dans le deuxième tiroir de la commode du salon.

— D'accord ! C'est chouette ici.

— Merci ! répond Jarvis.

Robinson se dirige vers le salon après avoir confié les chocolats et le vin à Seward qui passe directement dans la salle à manger. Il offre les présents à l'hôtesse qui lui fait la bise avant de déposer le tout sur le comptoir. Elle arrange les fleurs dans un vase pendant que Seward s'assoit à table. Robinson remarque un papier bleu sur la commode. Il ouvre le tiroir et inspecte son contenu. Il y trouve des serviettes de toutes les couleurs.

— Lesquelles veux-tu ?

— Les rouges !

Robinson revient avec les serviettes rouges et le papier bleu qu'il brandit au-dessus de sa tête.

— Qu'est-ce que c'est que ça ?

— Ce n'est rien, c'est un putain de con qui m'a donné une contravention parce que j'étais garée dans la rue, grogne Jarvis entre ses dents.

Seward est étonné par la brutalité de sa réponse.

— Pas devant les bureaux ?

— C'est ça ! lui balance-t-elle sur un ton de mêle-toi de tes affaires.

Elle prend les serviettes des mains de Robinson, lui arrache brusquement la contravention et la lance sur le comptoir de la cuisine. Seward est surpris de son attitude.

— Tu sais que tu ne dois pas te garer là.

Jarvis s'immobilise et lui lance un regard torve qui en dit long sur son état d'âme. Mais Seward ne la lâche pas du regard pour autant. Elle pousse alors un grand soupir et distribue les serviettes de table.

— De toute façon, Jamison va me la faire sauter.

Elle passe de l'autre côté du comptoir, ouvre le four et en sort une énorme pizza qu'elle a commandée et mise à chauffer en attendant l'arrivée de ses convives.

— Allez, servez-vous maintenant !

9

Pendant ce temps...

Dans sa chambre d'étudiante, Jennifer Robert s'ébroue sous la douche en se savonnant les cheveux. Une main malfaisante ramasse un à un ses vêtements, subtilise les serviettes et sort furtivement.

Bang ! Bang ! Bang !

On frappe si fort à la porte d'entrée que le bruit attire l'attention de Jennifer. Ali Morgan, sa colocataire, s'empresse d'ouvrir et invite ses trois complices à entrer.

— Pas si fort... J'ai fait comme tu m'as dit Elizabeth, j'ai piqué tous ses vêtements. Elle est toute nue sous l'eau.

Les quatre sournoises se félicitent en ricanant à voix basse et en émettant de petits cris frénétiques.

Au même moment, Jennifer ouvre le rideau de la douche et aperçoit les quatre filles qui complotent au fond de la pièce. Les filles se précipitent vers elle. Paniquée, elle a tout juste le temps de leur claquer la porte au nez et de la verrouiller. Elizabeth tourne la poignée en poussant sur la porte.

— Ouvre cette porte, ma belle, je n'ai pas trimbalé mon appareil photo jusqu'ici pour rien. De toute façon, il te faudra sortir si tu veux tes vêtements.

— *Ah non, non* ! se dit Jennifer en larmes de l'autre côté de la porte.

Elizabeth s'énerve.

— Allez, ouvre cette porte, espèce de salope ! Ça va être ta fête, on va t'apprendre à vivre… Non ? Tu l'auras voulu, on vient te chercher. Allez les filles, aidez-moi !

Celles-ci se mettent à marteler la porte. De l'autre côté, Jennifer se recroqueville en pleurant à chaudes larmes. Elle ferme ses yeux et revoit son père qui faisait de même quand, toute petite, elle se réfugiait dans sa chambre.

— *Laisse entrer papa, ma belle Jenny ! Laisse entrer papa.*

— *Non, je ne veux plus jouer avec toi* !

— *Ouvre, Jennifer, tu sais que papa t'aime ! Ouvre cette porte, ma belle…*

— *Non, laisse-moi tranquille* !

— *Ouvre cette putain de porte, sinon ça va être ta fête, espèce de salope* !

Alors que les quatre filles s'acharnent sur la porte sans succès, Ali a soudain une idée. Elle s'éloigne et fourrage dans les tiroirs.

— Poussez-vous les filles, j'ai une épingle à cheveux.

Les trois autres se mettent à rire en battant des mains. Elizabeth se réjouit à l'avance.

— Passe-la-moi ! trépigne-t-elle en arrachant l'épingle des mains de son amie. Poussez-vous ! Jennifer ma belle, on arrive !

Elizabeth introduit l'épingle dans la serrure, la tourne et entre en poussant fortement la porte avec son épaule. Surprise de ne trouver aucune résistance, elle s'affale sur le sol et ses copines trébuchent sur son corps. Affolée, Jennifer s'élance par la fenêtre et s'écrase sur le parking, six étages plus bas. Les filles hurlent de stupeur pendant qu'Elizabeth cherche un moyen de se dégager de sa mauvaise position.

— Mon Dieu ! crie Lucy.

— Qu'est-ce qu'on va faire ? réplique Catherine.

— Ah ! mon Dieu ! répète encore Lucy.

— Qu'est-ce qu'on a fait ? Qu'est-ce qu'on a fait ? s'écrie Ali en se redressant.

— Ah ! mon Dieu ! reprend Lucy, en duo cette fois avec Catherine.

— Qu'est-ce qu'on a fait ? Qu'est-ce qu'on a fait ? répète sans cesse Ali en se balançant d'avant en arrière, les bras collés contre sa poitrine.

Elizabeth se relève, furieuse et saisit Ali par les bras.

— Rien du tout. Calmez-vous !

Les filles se taisent.

— On n'aura qu'à dire qu'elle s'est jetée par la fenêtre pendant qu'on jouait au *Risk* dans la chambre, propose Elizabeth.

— On n'a qu'à dire qu'on n'était pas là, suggère Catherine en se frottant sans cesse le front.

Elizabeth la foudroie du regard et s'emporte.

— Non, idiote ! Il suffit qu'une seule personne nous ait vues entrer pour qu'on nous accuse de meurtre. Non, on n'a rien à craindre, tout le monde sur le campus dira qu'elle était étrange. Alors Catherine, tu appelles du secours. Ali, tu sors le *Risk*… Ali, bouge-toi ! Lucy, tu remets ces vêtements dans la salle de bains. Bougez-vous, merde !

10

Quelques heures plus tard, résidence principale de Neumann, Boston...

Auguste Neumann habite une luxueuse demeure blanche avec colonnes et coupole qu'il a fait construire après avoir amassé son tout premier million. Quelques arbres majestueux ornent le parterre vert émeraude et la façade est rehaussée de fleurs arrangées avec goût. Trois voitures sont garées dans l'entrée. Allongé confortablement dans son fauteuil moelleux, Neumann lit son journal comme chaque soir. L'horloge sonne neuf coups. Il replie le quotidien, se lève, fait une dernière ronde et monte tranquillement les escaliers. Il entre dans sa chambre, actionne le commutateur, accroche sa robe de chambre à un crochet fixé expressément au mur pour la recevoir, retire ses pantoufles, les place soigneusement sous son lit, se glisse sous les draps, éteint sa lampe de chevet et s'endort paisiblement. Quelque quatre-vingt-dix minutes plus tard, après avoir franchi le premier stade du sommeil profond, il se met à rêver.

Une petite fille joue seule dans une cour d'école, sous un soleil radieux. Elle s'amuse à faire rebondir sa balle contre l'un des murs de brique de l'établissement scolaire. La balle lui échappe des mains. Elle se précipite pour la rattraper... quand le songe se transforme brusquement en cauchemar. Le jour fait place à la nuit et la cour d'école se mue en forêt lugubre. La fillette court à perdre haleine dans la noirceur, à travers les arbres. Elle court, court et court encore. Lorsqu'elle atteint enfin l'orée du bois, elle se met à crier.

— Non ! Non ! Non !

Un immense précipice s'ouvre devant elle. La fillette, désemparée, se transforme en Jennifer Robert et tombe dans le vide en hurlant.

Neumann se réveille en sueur. Il se soulève sur ses deux bras, allume sa lampe, se hâte vers la salle de bains et asperge son visage. Il plonge le nez dans une serviette et s'essuie lentement. Le parfum de lessive le réconforte et le calme. Puis il descend à la cuisine et se sert un jus de légumes.

— Toute une thérapie en perspective ! s'exclame-t-il à voix haute.

Il remonte se coucher et se rendort comme un bébé.

11

Samedi, 17 h, Bifield, Massachusetts...

Un homme surgit de la forêt, juste derrière l'église. Il longe le lieu saint jusqu'à la façade, balaie l'espace du regard et constate que le parking est désert. Il s'approche alors de la porte qui bâille toujours, glisse sa main dans la fente, la pousse pour élargir l'espace et s'insinue dans l'église. L'intrus s'avance dans l'allée principale et s'arrête en plein centre, à mi-chemin entre l'entrée et le chœur. Un vieil homme balaie devant l'autel. Il n'a pas vu entrer l'étrange individu qui se tient immobile, à quelques pas de lui. Le vieil homme porte des vêtements noirs et une croix qui ne laissent planer aucun doute sur sa profession. Il doit avoir dans les 80 ans et se déplace lentement, avec des mouvements plus ou moins volontaires. Soudain, il aperçoit la silhouette.

— Je peux vous aider, mon Enfant ?

Sans un mot, l'homme se retourne et se dirige directement vers le confessionnal située à la gauche de la porte d'entrée. Il s'installe sans préambule dans la section du pénitent. Tout en le rejoignant, le vieux pasteur s'écrie :

— Non, non, Monsieur ! Vous ne pouvez pas vous asseoir là, c'est fermé ! La porte est peut-être ouverte, mais l'heure de la confession est passée. C'est fermé ! C'est fermé ! répète-t-il sans cesse.

Parvenu enfin au confessionnal, le pasteur appuie son balai contre le mur et, intrigué, saisit la bible sur le banc et s'assoit de l'autre côté de la grille, non sans maugréer. Il est curieux d'entendre les confidences de cette âme asociale.

Il accomplit machinalement les rituels d'usage.

— Je vous écoute, mon Fils, mais soyez bref !

— Mon Père, j'ai péché.

— Qu'avez-vous fait ?

— Je dois vous confesser la mort d'un être cher que nous avons en commun.

Une inquiétude commence à poindre chez le pasteur.

— De qui parlez-vous ?

— Je parle d'une personne dont je suis responsable de la mort.

— Qu'avez-vous fait… racontez-moi, mon Fils.

— J'avais jadis une amie, mais j'étais petit et elle, encore plus que moi.

Le pasteur ne comprend rien à ce charabia. Sa voix se teinte de sympathie.

— Cela semble faire plusieurs années.

Le pénitent renifle et avoue d'une voix tremblante.

— Mon Père, j'ai péché !

— Allons, ça ne doit pas être si grave que cela ! Dieu pardonne à ses créatures, mon Fils. Mais il faut tout lui dire…

— Elle était si mignonne. Elle aimait rire… elle riait toujours. Elle voulait être mon amie. Elle ne demandait rien d'autre. Elle voulait seulement une vraie famille. Elle n'aurait jamais rien raconté, mais moi, j'ai… j'ai…

— Qu'avez-vous fait, mon Fils ? Continuez !

Le repentant se ressaisit, sèche ses larmes et reprend sur un ton plus grave.

— Je l'ai forcée à faire des choses.

— De quelles choses s'agit-il, mon Fils ? Racontez-moi !

— Des choses qu'elle ne voulait pas faire… Il y a des choses qu'on ne doit pas faire à une jeune fille ni à un quelconque être vivant, mon Père.

Le pasteur commence à craindre le pire. Il ne sait toujours pas qui est cette brebis égarée dont la voix devient de plus en plus menaçante et les propos, inquiétants. Comme le dernier office est terminé et qu'il est seul dans l'église, le vieil homme se met à penser qu'il n'est peut-être pas trop sage de poursuivre la conversation. Il ne dispose d'aucune arme pour se défendre. Certes, il y a bien le balai, mais il n'aurait pas la force de s'en servir. Il y a aussi le téléphone, mais il se trouve derrière l'autel, tout au fond. Il est venu en taxi et personne ne s'inquiétera de son absence avant des heures. Le soir, il ne rentre jamais à la même heure, car il aime bien errer dans l'église, parfois même jusqu'aux petites heures du matin. Le pasteur décide donc de jouer la carte de l'amitié pour calmer les ardeurs de la confession. Mais son long silence l'a trahi et laisse deviner son tourment. Alarmé, le pèlerin anonyme l'interroge.

— Mon Père, me suivez-vous toujours ?

— Oui, oui, mon Fils ! Mais comment vous appelez-vous, je n'ai pas vu votre visage et votre voix ne me dit rien. Êtes-vous de Bifield ?

Un silence de mort fait écho à sa question. Il n'entend que la respiration de l'homme derrière la grille.

— *Il faut mettre fin à cette mascarade* ! se dit le pasteur. Je crois qu'il est tard mon Fils, bien tard. Nous devrions reparler de tout cela demain. Au nom du Père et du Fils…

— Je n'ai pas fini, mon Père ! s'exclame brutalement le pécheur.

Le révérend a des sueurs froides.

— Mon Fils, il faut être raisonnable ! Je…

— Ne voulez-vous pas savoir de qui il s'agit ? fulmine l'individu, outré de l'attitude du pasteur qui tente d'échapper à ses révélations.

— Non, je ne veux pas le savoir ! La confession est terminée ! lance le pasteur qui se replie sur la défensive.

Il ferme la porte coulissante sur la grille qui sépare les deux hommes, sort précipitamment de l'isoloir et se hâte vers l'autel. L'individu ne bronche pas.

— Le nom d'Iris ne vous rappelle rien, mon Père ?

Le pasteur, qui croyait avoir trouvé le moyen de se dérober à la discussion, s'arrête, le souffle coupé. Il laisse tomber sa bible et fait volte-face. Malgré son vieil âge, il se met à courir tant bien que mal vers l'isoloir et ouvre la porte violemment pour voir enfin le visage de l'étranger.

— Espèce de salaud, je vais vous…

— Bonjour, est-ce que tu veux m'aider à faire mes devoirs, Papa ?

— Toi ! Non, non… C'est impossible ! Les loups t'ont dévoré dans la forêt, s'écrie le pasteur qui reste figé devant l'homme qui se redresse.

— Faut croire que je n'étais pas assez bon pour eux.

Le pasteur se met à reculer devant l'étranger qui s'avance sur lui.

— Vous ne savez pas qu'il faut toujours fermer sa porte ?

— Non, non, n'avance pas ! Dieu est miséricorde ! Il sait pardonner, ne fais pas ça ! Ne touche pas à un homme d'Église, tu n'auras plus ta place au Paradis… J'ai de l'argent, tu peux tout prendre.

Les yeux noyés de larmes, le vieil homme trébuche et tombe. Il se retourne et rampe vers l'autel en suppliant son bourreau de l'épargner. Mais ce dernier semble insensible au malheur du vieillard.

— Vous m'offrez de l'argent contre votre âme ! Mais vous blasphémez dans une église. Vous devriez savoir que ce n'est pas bien, mon Révérend. On ne peut pas tout acheter sur Terre, mon Père. Au fait, j'y pense, où est votre épouse, Anna Barton, une bien belle femme si mon souvenir est exact. Je crois que je vais lui rendre une petite visite quand j'en aurai fini avec vous. Dites-moi, mon Père, quelle est sa spécialité ?

— Fichez la paix à ma femme, espèce de monstre ! Elle est morte depuis des années ! Que Dieu ait son âme !

— Quel dommage, j'en gardais un excellent souvenir. Je l'ai reluquée une fois lorsqu'elle était sous la douche, mais j'étais petit alors cela ne compte pas. Je me suis toujours dit qu'elle devait bien vous satisfaire, et pourtant ! Apparemment, elle ne vous a pas tellement comblé. Vous m'avez plutôt semblé... comment dirais-je... Je l'ai : bien insatisfait ! Votre femme...

— Que voulez-vous ? s'écrie le pasteur qui n'en peut plus.

— Mais vous me coupez la parole, c'est très mal élevé. Vous ne voyez pas que je tente d'établir le contact, de nous rapprocher vous et moi ?

Terrorisé, le pasteur se confond en excuses.

— Pardonnez-moi ! Excusez-moi ! Je suis sincèrement désolé, pardonnez-moi...

— Là, c'est mieux, c'est beaucoup mieux ! Mais c'est insuffisant. Où en étais-je ?... Ah oui ! Votre femme, toute une créature, dommage qu'elle ne soit plus de ce monde. On aurait pu passer de bonnes heures de plaisir, elle et moi. Et le directeur d'école, Monsieur Ballard, qu'est-il devenu ? Il n'est pas mort lui aussi, j'espère ? J'aimais bien son sens de l'humour. Même si je le trouvais un peu lourd, j'aurais plaisir à rire encore un peu avec lui. Dites-moi, Révérend, où est passé ce bon vieux directeur d'école ?

— Le pauvre homme est à l'hôpital général de
Boston.

— Il ne souffre pas d'Alzheimer au moins ? Ce
serait regrettable.

L'étranger continue d'avancer sur le pasteur qui
recule péniblement en rampant.

— Ne me faites pas de mal, je vous en supplie. Je
dirai un bon mot pour vous Là-Haut. Soyez généreux !

— Mais qu'est-ce que je dois répliquer à ça ? Je
devrais m'énerver et vous crier : tu sais où tu peux te
le foutre ton Bon Dieu ! Ou alors, me mettre à pleurer
en disant : au nom du Ciel, pardonnez-moi ! Ces mains
que tu as créées sont pour transmettre le bien, pas le
mal… Non, c'est ridicule ! Mais j'ai envie de vous,
mon Père. Non, je devrais plutôt dire : j'ai besoin de
vous. Je ne peux pas vous laisser partir comme ça. Et
malheureusement pour vous, ça va vous faire mal ! Ça
va vous faire très mal ! Mais ai-je le choix ?

Le pasteur tente de se relever. L'homme le saisit
par un pied. Le pasteur tombe lourdement sur le sol
tête la première et se fend la joue. Son assaillant sort
une corde de chanvre de sa poche, la lui noue autour du
pied et enroule l'autre extrémité autour de son propre
poignet.

— J'espère que ça va tenir, je n'ai jamais été très
doué pour faire des nœuds et c'est la première fois que
j'en fais des comme ça. Par contre, pour me servir de ça,
je crois que je suis vraiment champion.

L'homme sort alors de la poche intérieure de sa veste
une petite statuette de la Vierge Marie d'environ quinze
centimètres. Une lame de rasoir dépasse de sa tête. En

apercevant l'objet horriblement modifié, le pasteur projette ses pieds dans tous les sens en hurlant.

— Pitié ! Pitié ! Ne me faites pas souffrir.

L'homme lui pose alors le pied sur le ventre pour le stabiliser.

— Mais vous vous débattez comme un diable dans l'eau bénite, mon Père. Je vous ai déjà dit que, là-dessus, je ne pouvais rien pour vous. Sinon, je perds tout mon profit. Il ne faudrait pas que votre mort me mette dans l'embarras. Sinon, à quoi bon tout ce cirque ? Allez maintenant, fini de parler, il faut passer aux choses sérieuses. Déshabille-toi et que ça saute, mon beau !

— Nooon !

Deux heures plus tard, le meurtrier quitte l'église et file en droite ligne vers le cimetière. Il dépasse la tombe commune de la famille McBerry sur laquelle on a déposé un énorme bouquet de fleurs, puis s'arrête sur une imposante pierre tombale où l'on peut lire cette épitaphe :

ANNA BARTON
1927-1972
Fidèle épouse du pasteur
Charles Douglas
Mère dévouée
Sa vie fut d'une charité exemplaire
RIP

Le tueur quitte le cimetière et disparaît dans la forêt.

12

Dimanche matin, église de Bifield...

Castelli tient dans sa main droite un appareil photo et, dans la gauche, son sempiternel dossier sur la quinzaine de meurtres non résolus, incluant maintenant ceux de Sharonneville. Jarvis et lui sont les seuls représentants du FBI dépêchés sur les lieux. Jamison protège jalousement ses dimanches. Comme Castelli est son meilleur élément, il lui abandonne ses stagiaires session après session. C'est au tour de Jarvis. Elle va enfin pouvoir mesurer ses talents sur le terrain.

La scène est terrifiante, il y a du sang partout. La croix, habituellement placée derrière l'autel, est maintenant appuyée sur le devant, la tête en bas. Le pasteur, nu, y est crucifié. Castelli refile son dossier à Jarvis, prend un cliché, puis fait signe aux adjoints de s'approcher. Les hommes du shérif s'avancent et soulèvent le lourd ornement de bois pour le coucher sur l'autel. Castelli dépose son appareil photo sur un banc et enfile des gants pour les aider. Jarvis s'arrête, hésitante. Castelli l'invite à s'approcher. Mais elle est perturbée, émue et horrifiée par l'extrême violence de la scène. Il comprend son désarroi et n'insiste pas. Les policiers finissent d'installer le corps crucifié et Castelli décide de commencer seul la description.

— Je vais le faire, Jarvis ! Asseyez-vous et observez.

— Merci.

— Je vais décrire ce que je vois, vous pourrez intervenir quand bon vous semblera.

Castelli sort un magnétophone de sa poche, le met en bandoulière et le démarre. Pendant ce temps, le shérif et ses adjoints cherchent autour des bancs un objet, une trace ou tout autre indice qui pourraient les aider à comprendre l'odieux tableau laissé par le tueur.

— Un vieil homme complètement nu, le pasteur aux dires du shérif. Race blanche. Il est cloué sur une croix la tête en bas comme Saint-Pierre. Peut-être n'était-il pas assez méritant pour être crucifié la tête en haut. Le corps est blême et il a la gorge tranchée. C'est la saignée qui a dû provoquer sa mort. Le sang répandu dans l'église provient de là. Il n'y a aucune empreinte de pied sur le sol. J'en déduis que le tueur lui a tranché la jugulaire juste avant de quitter les lieux. Le pasteur était donc encore vivant quand il fut crucifié. Il pourrait s'agir de l'œuvre d'un extrémiste d'une autre Église.

Le shérif, qui épie plus ou moins discrètement le travail du représentant du FBI tout en furetant dans l'église, se met à rire. Jarvis se lève, dépose le dossier qu'elle tenait toujours dans ses bras, se saisit de l'appareil photo et s'approche de Castelli.

— C'est trop violent pour un émule.

Castelli la regarde, lui sourit et reprend son travail.

— Ses mamelons ont été sectionnés. Il a un clou dans la main droite, celle de la politesse. Il n'était peut-être pas assez poli pour son tueur. L'autre main, la gauche, est attachée par une corde avec un nœud – ça me rappelle quelque chose, il s'agit peut-être d'un récidiviste ou bien d'un imitateur – la main tient son pénis auquel elle est liée. Le nœud autour du poignet est identique à celui autour du pénis. Non, pas du pénis, mais des testicules ! Comme s'il voulait l'émasculer.

Jarvis photographie la poitrine, la main et les organes génitaux.

— Il se masturbe ! Le tueur l'a regardé se masturber avant de le tuer.

Castelli soulève les organes génitaux du cadavre pour regarder dessous.

— Aucune trace de sperme.

Jarvis immortalise le tout. Puis son regard s'attarde sur le cou de la victime.

— On dirait qu'il a une corde autour du cou.

Castelli s'approche et regarde de plus près.

— Elle est à peine visible tant elle est imbibée de sang… avec encore le même nœud. Comme pour le pendre. Pourquoi le pendre ?

— Judas a été pendu. Il a peut-être trahi son agresseur… de la vengeance ? Un châtiment un peu trop hors du commun pour une vendetta, on dirait qu'on lui a arraché les cheveux, c'est d'une telle violence… notre homme est bon à enfermer, un psychotique à coup sûr, poursuit Castelli.

— Les yeux sont crevés : réification, lance fièrement Jarvis qui utilise ce mot pour la première fois.

Elle regarde alors Castelli et y va d'une hypothèse.

— Nous avons affaire à un tueur en série. Il y a probablement eu pénétration avec un objet. Il est peut-être encore enfoncé quelque part.

Castelli ouvre la bouche de la victime. Rien. Il inspecte ensuite le nez et les oreilles. Toujours rien. Il fait signe au shérif de l'aider à retourner le cadavre. Celui-ci, avide, s'avance précipitamment. Castelli découvre une statuette de Marie enfoncée dans l'anus de la victime. Jarvis prend un autre cliché avant que Castelli retire l'objet avec mille précautions.

— Le corps est couvert de petites lacérations, comme s'il avait été fouetté. C'est probablement la lame au bout de la tête de Marie qui a servi à faire ça. Marie, la Vierge Marie. Sodomie. Le tueur est peut-être encore vierge et s'identifie à Marie, donc il déteste les pasteurs anglicans comme protestants, car ils ne respectent pas Marie. Il l'aurait lacéré et lui aurait extirpé les seins parce qu'il niait la virginité de Marie. Ce serait l'œuvre d'un jeune, ce qui expliquerait pourquoi les nœuds ne sont pas solides. Il est maladroit. Il ne sait pas comment s'y prendre. Vous avez raison, Monsieur, ce doit être l'œuvre d'un imitateur, affirme Jarvis, emportée par son analyse.

Un shérif adjoint entre dans l'église et se dirige tout droit vers l'autel en tenant un drap blanc.

— Regardez, j'ai trouvé ça dans les buissons en arrière de l'église.

— Merci ! disent d'un même élan Castelli et le shérif.

Les deux supérieurs se fixent alors du regard sans broncher. L'adjoint tend l'objet que personne ne semble vouloir saisir. Jarvis sort des gants de son blouson, les enfile en toute hâte et s'empare du drap pour mettre fin à l'impasse. Puis elle l'ouvre en le soulevant dans les airs. Il est immaculé, hormis une tache de sang circulaire d'environ 10 cm qui orne son centre.

— C'est le drapeau japonais. Il l'a confectionné avec la nappe de l'autel. C'est un Japonais ! suggère spontanément Jarvis avant de glisser l'objet dans un sac de plastique qu'elle dépose à ses pieds.

Le shérif quitte l'autel avec son adjoint pour poursuivre la recherche d'indices. Castelli semble songeur.

— Non, il s'agit plutôt d'un rite archaïque qui consiste à faire saigner la femme lors de sa défloration, afin de montrer à ses congénères qu'elle était vierge, que son hymen était intact. Après le coït, l'époux sort de la chambre nuptiale et exhibe le drap ensanglanté à ses invités… Notre homme doit être un homosexuel immature qui ne veut pas se l'avouer. En sodomisant le pasteur, notre tueur a probablement voulu se faire croire qu'il venait de prendre une femme.

Jarvis ne croit pas trop à cette hypothèse.

— Mais, Monsieur, il n'y a apparemment aucune trace de sperme. La porte semble avoir un problème à rester fermée. Ne serait-ce pas un tueur de passage qui aurait profité de cet accès facile pour tuer le pasteur ?

Castelli écoute distraitement Jarvis. Il s'interroge sur un tout autre point qui semble le hanter. Il retire ses gants, s'engage dans l'allée et récupère son dossier sur le banc où Jarvis l'y avait déposé. Il y fourrage fébrilement.

— Je ne sais pas.

— Vous ne savez pas quoi ? demande Jarvis, qui est restée au pied de l'autel.

— Pourquoi les nœuds ne sont-ils pas solides ?

— Peut-être qu'il s'amusait à voir sa victime essayer de s'échapper. Le plaisir pervers de domination est fréquent chez ce genre de détraqué. Il a dû jouer au chat et à la souris avec lui, élabore Jarvis qui tente par tous les moyens de regagner l'attention de son supérieur.

Castelli se replonge dans son dossier.

— De mémoire, il n'y a jamais eu ce genre de crime ni ici ni ailleurs au pays, et pourtant…

— Ce doit être sa première victime, Monsieur ! La connotation sexuelle est trop forte et la réification peut laisser présumer que c'est le premier acte d'un tueur en série. Il n'a pas supporté que sa victime le regarde. Il a dû la déshumaniser, enchaîne Jarvis.

Elle se penche, ramasse brusquement le sac transparent qui contient la nappe et le brandit en poursuivant.

— Et cette nappe a été maquillée sciemment pour nous montrer qu'il n'est plus vierge. Il vient de commettre son premier meurtre.

13

Lundi matin, 2ᵉ cours de psychanalyse animale...

Le professeur Neumann se tient devant le tableau, une craie à la main et l'autre dans la poche. Il entame son premier exposé magistral.

— La semaine dernière, nous nous sommes laissés sur un thème. Qui peut me le rappeler ?

Un jeune homme lève la main.

— Oui, Monsieur Barkley. C'est bien votre nom ?

— Oui, Monsieur.

— Je ne sais pas si j'aurai autant de chance avec chacun de vous. Votre réponse ?

— La vie.

— C'est exact !

Neumann écrit le mot *vie* au tableau.

— Maintenant, qu'est-ce que la vie ?

Le silence s'abat sur la salle. Le professeur reprend la parole.

— La vie, c'est ce qui nous active. C'est ce qui nous permet de penser. Pourquoi sommes-nous des êtres intelligents ? Pourquoi tous les vivants agissent-ils intelligemment ? Comment se fait-il qu'un singe crie et grimpe dans un arbre à la vue d'un lion ? C'est qu'il est mortel. La mortalité émane de la vie.

Neumann revient au tableau, trace une flèche après le mot *vie* et inscrit le mot *mortalité*.

— La vie est la quintessence et, de ce fait, elle doit être à la base même de votre pensée. Levez la main ceux qui, dans cette classe, croient avoir été créés par un petit lutin vert. Allez ! Levez la main… Personne !… Bon !

— Maintenant, levez la main ceux qui sont prêts à me signer qu'ils ont été créés par ce même petit lutin vert, sachant que les signataires mériteront un A et que les contestataires n'obtiendront pas la note de passage.

Une à une, les mains se lèvent timidement jusqu'à l'unanimité et la classe éclate de rire. Neumann sourit à son tour.

— Voilà, vous avez tout compris !… Mais en êtes-vous sûr ? L'intelligence émane de la mortalité.

Neumann revient au tableau, dessine une flèche après *mortalité* et y ajoute *intelligence*.

— L'intelligence sert à protéger la vie quoiqu'il advienne. Vous n'êtes pas des gens méchants, mais vous êtes pourtant prêts à signer n'importe quoi pour sauver votre propre vie, peu importe les conséquences sur les générations futures. Mais la vie ne se résume-t-elle qu'à la vôtre ? Et que deviendra votre propre vie si vous signez n'importe quoi ?

Barkley agite sa main frénétiquement.

— Oui, Monsieur Barkley ?

— Mais, Monsieur, voulez-vous insinuer que, comme nous avons tous choisi spontanément de signer pour survivre, c'est que nous ne sommes en fait que des êtres purement égoïstes ?

— Bien sûr que non ! Je dirais plutôt que c'est par simple ignorance que vous avez opté pour ce choix. Le docteur Sigmund Freud, père de la psychanalyse, a dépeint l'Homme comme un être méchant, haineux, égoïste et vindicatif. L'Homme de Freud considère son prochain comme un subalterne et un objet sexuel de plaisir et de désirs de toutes sortes. Il aspire à molester, exploiter, violer, posséder, humilier, martyriser et tuer son semblable...

Neumann laisse souffler ses élèves quelques secondes avant de poursuivre.

— N'est-il pas absurde de prétendre qu'un individu sain soit conçu de tels instincts destructeurs ? Bien sûr que oui ! Un humain développé n'est pas affligé d'une telle volonté d'abuser et ne supporte pas la déviance. Freud nous a plutôt dépeint les hommes dotés d'une personnalité psychopathique. Ils sont profondément déséquilibrés et incapables de vivre en harmonie avec la nature. Malheureusement pour nous, ces hommes ont trop souvent des postes d'autorité. Résultat, ils nous font signer n'importe quoi !

Les élèves éclatent de rire.

— En revanche, Freud nous rappelle que la longévité n'est pas le but ultime. À partir du moment où la vie a pu utiliser l'individu pour en recréer un autre, il lui est totalement inutile de lui assurer la vie éternelle. La vie mise plutôt sur la reproduction massive de cet être. Si nous voulons survivre, nous devons utiliser notre intelligence pour défendre la vérité, sinon c'est toute notre espèce qui s'éteindra. N'aurait-il pas été plus profitable pour vous et vos semblables de m'affronter et d'opposer la vérité à mon dieu lutin plutôt que de vous y soumettre ? Galilée a-t-il fait le bon choix en signant que la Terre n'était pas ronde malgré ses convictions, pour sauver sa peau ? Savait-il seulement qu'il maintiendrait ainsi les fidèles de l'Église catholique romaine dans l'obscurantisme pendant encore 300 ans avant que leur guide spirituel, le pape, reconnaisse cette réalité scientifique si évidente ?

Neumann laisse un moment de répit à ses élèves. Il écrit *vérité* à la suite du mot *intelligence*, puis poursuit.

— De façon linéaire, nous conduirons notre espèce à l'extinction si nous ne prenons pas la peine d'éduquer les gens à vivre selon les instincts prescrits par la Nature. L'avenir de votre société repose sur vos épaules. Vous avez le choix : faire de votre vie un combat pour la vérité et la survie de votre espèce, ou signer.

Neumann reprend sa craie et complète sa ligne en y adjoignant *survie de l'espèce*.

— Voilà qui nous sommes. En résumé, nous sommes des êtres vivants confrontés inexorablement à la mortalité. Cette mortalité sera d'autant plus tardive si nous utilisons notre intelligence à mieux comprendre la vérité de notre animalité et répondre ainsi adéquatement à nos besoins instinctifs d'adaptation à la nature qui permettront la survie de notre espèce... Mais nombre de nos comportements sociaux ne sont-ils pas névrotiques?

Neumann arrête son exposé pour laisser aux jeunes gens le temps d'assimiler son enseignement et de réfléchir à sa question. Son regard tombe sur Blair Dexter et il note sa grande tristesse. Il a déjà remarqué, lors du premier cours, que le jeune homme ne cessait de regarder Jennifer Robert avec toute la subtilité que les gens de son âge mettent à reluquer les jeunes filles dont ils sont épris. Neumann scrute alors la classe à la recherche de Jennifer.

— Quelqu'un saurait-il me dire où est Mademoiselle Robert?

Dexter, qui retenait ses larmes jusqu'alors, laisse libre cours à sa peine.

— Vous ne savez pas? Elle s'est suicidée en se jetant par la fenêtre de sa salle de bains vendredi soir.

Cette nouvelle produit sur Neumann l'effet d'une bombe. Son esprit s'active. Il se rappelle lui avoir offert son aide le jour du présumé suicide. Si elle avait eu besoin d'aide, elle n'aurait pas hésité à le joindre, mais sa secrétaire lui a confirmé ce matin qu'il n'avait reçu aucun message durant le week-end. Il écarte d'office la thèse du suicide et déduit qu'un élément externe a dû précipiter sa mort.

Dexter, désespéré, ne peut en supporter davantage. Il se précipite vers la sortie. Neumann lui barre la route.

— Où allez-vous comme ça ?

— Je vais boire !

— Calmez-vous ! Calmez-vous, tout va bien aller, je vous le promets. Je vous laisse sortir et prendre de l'eau si vous acceptez de remplir mon pichet et que vous promettez de me le rapporter.

Neumann s'assure ainsi que le jeune homme, qui passe à travers une épreuve extrêmement douloureuse, ne commettra pas de bêtises, comme aller rejoindre l'élue de son cœur.

Dexter acquiesce de la tête en essuyant ses larmes qu'il essaie désespérément de cacher du revers de la main. Neumann reprend sa place devant une classe atterrée. Son regard rencontre celui d'Elizabeth qui baisse les paupières et croise ses bras et ses jambes. Son teint est livide. Sentant que Neumann ne la lâchera pas des yeux, elle se sent obligée de répliquer.

— Le temps passe, Monsieur, et il serait profitable pour tous que nous poursuivions cet enseignement si intéressant !

— Vous parlez enfin, vous qui avez l'habitude d'interrompre sans cesse le cours en chuchotant avec vos amies. Je vous trouve bien silencieuse aujourd'hui, Mademoiselle Elizabeth McGill.

— C'est que je connaissais à peine Jennifer Robert, mais mes amies et moi croyons que c'était une fille très charmante.

— Vous m'en direz tant. Je ne savais pas que vous possédiez des affinités avec Mademoiselle Robert. Vous savez, il existe deux catégories de gens qui s'intéressent à la psychologie. Il y a ceux qui veulent découvrir ce qu'ils sont pour évoluer et les autres qui...

Au même moment, Dexter rentre dans la classe, dépose le pichet plein sur le bureau de Neumann et regagne son siège. Neumann se tourne vers lui et lui sourit.

— Merci, Monsieur Dexter.

Après un dernier regard à Elizabeth, il décide de poursuivre son cours.

— Freud soutenait que l'Homme pourrait corriger les comportements névrotiques de sa société le jour où il disposerait d'une toile de fond pour différencier les bons des mauvais comportements. Or, nous savons aujourd'hui que le *Canis lupus* est un être développé, juste et équitable, et que sa horde est constituée d'individus tolérants, mais combatifs...

À côté d'Elizabeth, Ali rabat nerveusement les manches de son cardigan, regarde autour d'elle pour s'assurer que personne ne l'observe et attache fébrilement les boutons de son chemisier blanc afin de cacher son décolleté.

14

Ce même matin, au Bureau du shérif de Sharonneville...

Le shérif dépose un rapport sur la pile déjà volumineuse qui se trouve sur la table de travail de Seward.

— Tiens Ness, complète ça si tu peux et entre-le sur le serveur...

Puis le shérif tourne le dos à Seward qui lève les yeux au ciel. Il en a assez de saisir des données. Il fait basculer sa chaise sur les pattes arrières et prend une grande inspiration.

— Qu'est-ce que c'est?

— C'est le rapport du double meurtre perpétré vendredi. Il faut expédier tout ça à Craig Jamison au FBI dès que possible.

— Oui, tout de suite, Monsieur!

— Tu peux m'appeler Karl ou Shérif comme tout le monde, dit le shérif d'un ton faussement bourru.

— Oui Shérif, merci.

Le shérif tourne les talons et repart vers son bureau. Seward s'empare du dossier, l'ouvre en toute hâte et aperçoit les photos de la scène de crime. Il n'arrive pas à détacher son regard des clichés des deux pauvres victimes. Il secoue la tête et pose le dossier sur la pile quand ses yeux croisent la photo installée sur le coin de son bureau, où il est accompagné de Jarvis et Robinson. Pensif, il se dit que la vie ne tient qu'à un fil et qu'il est grand temps de déclarer son amour à Jarvis. Il prend son courage à deux mains, saisit le téléphone et compose le numéro de l'élue de son cœur.

Jarvis est en réunion dans le bureau de Jamison en compagnie de six inspecteurs chevronnés. Elle est la seule représentante de son sexe. En entendant la sonnerie de son téléphone, les six hommes se retournent et la dévisagent. Elle tient son portable d'une main et joue nerveusement avec un crayon de l'autre. Elle esquisse un timide sourire, fait pivoter sa chaise pour échapper aux regards inquisiteurs et se penche légèrement sous la table pour répondre.

— Agent spécial Jarvis, j'écoute ! lance-t-elle pompeusement pour ne pas s'en laisser imposer par ses nouveaux confrères.

— C'est moi, j'appelle pour te dire bonjour, je pensais à toi…

— Merci, c'est gentil. Ciao.

— Attends !

— Je suis en pleine réunion sur l'homicide de jeudi à Altoona, tu t'en souviens ?

— Oui.

— Jamison fait un exposé sur les meurtres non résolus sur lesquels le Bureau peine depuis plus de deux ans et qui ont le même *modus operandi*. Le logiciel VICAP (*Violent Criminal Apprehension Program*) les a regroupés par territoire et classés par ordre chronologique. Le premier remonte à plus de dix ans. On fait un brainstorming pour tenter de dégager une piste.

— Est-ce qu'ils ont trouvé quelque chose ?

— Oui, plein de choses intéressantes, mais rien encore de concret pour mener à une arrestation.

— Mais, est-ce que…

Jamison hausse alors le ton.

— … Comme vous avez pu le constater dans le document que je vous ai fait distribuer plus tôt ce matin, aux douze meurtres que je viens de décrire il faut en ajouter trois. La treizième victime se nomme Monica Jones. Elle a été assassinée alors qu'elle se faisait bronzer. Elle était fille de millionnaire et devait se marier à un homme de bonne famille veuf et père de deux enfants. Comme ce dernier ne toucha pas un sou de l'héritage, il fut écarté d'office de la liste des suspects. Car, dois-je vous le rappeler, s'il n'y a pas de mobile, il n'y a pas de meurtrier et s'il n'y a pas de cadavre, il n'y a pas de meurtre. C'est le principe de base de tout notre travail. Le tueur l'a agrippée par les cheveux et lui a cassé net la nuque.

La quatorzième victime, Erchel Feinstein, était un voyageur de commerce élégant et athlétique. Il était marié, bien rangé et pratiquait le jogging. Et la quinzième, tenez-vous bien, c'est Bill Bill. Les plus vieux d'entre vous se rappelleront que cet homme, alors âgé de 44 ans, avait fait à l'époque l'objet d'une enquête exhaustive. Il vivait seul, avait déjà fait un court séjour en psychiatrie dans sa jeunesse et on ne lui connaissait aucun antécédent judiciaire. Il fut interpellé une fois pour vol de voiture, mais il était mineur, alors… Il habitait une maison de campagne au nord du pays et collectionnait des répliques miniatures de cloches d'église qu'il faisait venir d'un peu partout. D'après son psychiatre, il faisait une fixation au stade oral d'où sa passion pour les cloches symbolisant pour lui les seins maternels dont il aurait été privé. Bref, on l'avait retrouvé dans sa fourgonnette, le cou brisé et, à ses côtés, huit rouleaux de corde de chanvre non entamés. Ce meurtre s'apparenterait aux quatorze autres qui nous prennent la tête. Il s'agirait du premier de la liste.

Ces gens sont morts la nuque brisée, sans aucune autre marque de violence et le meurtrier n'a jamais frappé deux fois dans la même ville. Les crimes ont été perpétrés à Altoona, Harrisburg, Charleston, Bel Air, Lancaster, Winchester, Uniontown, Greenville, Wilkes-Barre, Alexandria, Wilmington et, finalement, à Sharonneville pas plus tard que vendredi dernier. Tous ces meurtres ont été reliés grâce au VICAP. Il y en a eu probablement d'autres, mais il est difficile de le savoir, car les corps policiers n'ont pas l'obligation de participer à l'élaboration de notre base de données, et nous transmettre les renseignements sur les crimes non résolus commis dans leur juridiction ne fait pas nécessairement partie de leur culture…

Jarvis écoute distraitement et Seward et les propos de Jamison. Son attention est déchirée entre les deux hommes.

— Quoi ?… Oui. On a appris que l'homme du couple retrouvé mort jeudi aurait eu une liaison avec un homosexuel qui a déjà travaillé comme agent correctionnel, chuchote Jarvis dans son portable.

— J'ai justement en main le rapport du shérif sur le double meurtre qui a eu lieu ici vendredi. Le shérif vient à peine de me le donner. Il m'a demandé de le traiter en priorité et de l'expédier à Jamison… Alors, Jamison croit que ces meurtres sont tous commis de la même main, y compris celui de jeudi à Altoona ? C'est ça ?

Seward, tout excité, se relève et passe sa main dans ses cheveux. Jarvis aimerait bien raccrocher, mais elle sent que Seward possède de l'information fraîche sur le thème même de sa réunion. Elle préfère rester en ligne. Jamison commence à laisser transparaître des signes d'impatience. Elle décide donc de sortir du local. Comme elle est assise à quelques pas de la porte, il lui est facile de s'esquiver sans trop attirer l'attention. Seward prend un ton plus solennel et poursuit.

— … Le shérif n'a pas tout complété. Il m'a laissé ses notes pour que je constitue un dossier et que je l'envoie le plus rapidement possible à Jamison. J'ai plein de trucs à faire et ils sont tous très urgents. Enfin, je crois pouvoir décoder les gribouillis du chef, remplir les formulaires et télécopier le tout cet après-midi. Tu vois le genre !

— C'est tout ?

— *Il faut que je l'impressionne, sinon elle va rac-crocher*, pense Seward en se mordant la main. Je me disais qu'on avait peut-être affaire à un tueur en série.

— Un quoi ?

Seward est hésitant, mais se décide quand même à renchérir.

— Oui… quelqu'un qui tuerait toutes ces personnes pour satisfaire un plaisir pervers quelconque. Le couple qu'on a trouvé jeudi et celui de vendredi n'ont pas été agressés ni volés, ils ont juste été tués de la même façon, mais…

— C'est tout ?

Seward comprend que Jarvis ne supporte pas trop sa thèse.

— Oui… non, on se voit toujours au bar après le bureau ? Denis vient me chercher et on file directement là-bas.

— C'est ça, si je n'y vais pas, je te rappelle. Bye !

— J'y pense et si notre homme…

Mais Jarvis a déjà raccroché. Elle retourne dans la salle et regagne sa place. Jamison vient tout juste de terminer son exposé. Il pose son regard sur elle et elle lui répond par un sourire forcé.

— … Voilà, nous n'avons rien de plus pour le moment. Des questions ? lance Jamison à la cantonade.

Assise sur le bout de sa chaise le dos bien droit, Jarvis prend une grande inspiration et lève sa main.

— Oui, Jarvis ?

— Monsieur Jamison, si j'ai bien compris, nous avons regroupé une quinzaine de meurtres qui sont tous sans motifs apparents et dont les victimes n'avaient ni ennemi ni problèmes familial, social ou économique connus. Leurs cadavres ne présentaient aucune marque de violence autre que nécessaire. On peut donc conclure que ces gens furent tous exécutés à peu près de la même façon.

— C'est bien ça ! rétorque Jamison, intrigué.

— Je me demandais s'il ne pouvait pas s'agir d'une sorte de tueur en série.

Toute la salle s'esclaffe. Un des inspecteurs pointe Jarvis du doigt.

— C'est la meilleure ! s'exclame-t-il d'une voix tonitruante.

Jamison attend quelques secondes et reprend la parole.

— Allons, allons, s'il vous plaît, Messieurs. Jarvis, si vous avez conservé vos notes de cours de première année, et j'espère que tel est le cas…

Un léger fou rire se fait entendre. Jamison continue.

— En les consultant ce soir, vous remarquerez aisément que la caractérisation du comportement que vous venez de décrire ne s'applique pas à un tueur en série. Le tueur en série viole, mutile, bafoue, dépersonnalise, profane ou s'amuse avec les corps de ses victimes. Il répand du sang partout, s'attarde sur les lieux après son forfait, vole un objet en guise de scalp ou de trophée, procède avec le même *modus operandi* et laisse une signature. Il s'attaque à une même catégorie d'individus, habituellement de même sexe.

Jamison, qui n'a pas supporté que Jarvis s'absente durant son exposé, profite de la situation et en remet.

— Si vous étiez restée parmi nous, vous auriez appris ce que je vais répéter pour vous. Notre homme agit vite, s'assure qu'il n'y aura pas de témoin et ne laisse ni trace de sang ni empreinte. Les lieux restent toujours impeccables. Il élimine sa cible et disparaît aussitôt dans la nature. Pas de pénétration, pas d'introduction d'objet dans la victime, pas de violence hormis pour tuer. La dépouille n'est pas déshabillée. Les crimes ne sont pas spectaculaires. Il n'utilise pas d'arme. Le cadavre n'est jamais déplacé ou posé de façon particulière. Il n'inflige aucune dépersonnalisation comme crever ou cacher les yeux ou le visage de sa victime, la défigurer ou lui couper la tête. Il ne tue pas que des gens de sa race, ni d'un sexe en particulier. Il ne prend pas de plaisir avec ses victimes. Aucune démonstration de pouvoir. Il n'exprime ni rage ni colère. Il frappe sans aucun synchronisme… Bref, il n'a rien d'un tueur en série. Tout ce qu'on peut dire pour l'instant, c'est que ces crimes sont commis sous un même *modus operandi*. Nos experts du BSU (*Behavioral Science Unit*) n'ont rien trouvé. Tous les logiciels alimentés avec nos données sur ces crimes en sont arrivés à la même conclusion. S'il existe un lien entre eux, c'est qu'ils seraient l'œuvre d'un tueur à gages qui agit froidement et sans motif personnel. D'autres questions ?

Jarvis n'a pas aimé se faire remettre à sa place. Elle réplique du tac au tac.

— Monsieur ! Son plaisir sexuel ne pourrait-il pas être celui de se filmer et de visionner ensuite son crime assis bien tranquillement chez lui en pratiquant l'onanisme. Son pouvoir est peut-être celui de savoir qu'il ne laisse aucune trace, donc qu'on ne pourra jamais le coincer, puisque nos logiciels sont trop bêtes pour lui.

Tous les enquêteurs se retournent vers elle. L'ambiance est à couper au couteau et le silence plane sur l'assemblée. Jarvis se sent isolée et comprend qu'elle y est allée un peu fort. Tendue, elle sourit et se gratte la nuque en baissant les yeux. Jamison la dévisage d'un air sévère et réprobateur comme il ne l'a jamais fait auparavant. Il relance d'un ton sec.

— D'autres questions ?… J'ai ici une liste des choses à faire que vous allez devoir vous partager. Voyez chez les spécialistes en arts martiaux s'il n'y aurait pas une piste. Fouillez de nouveau les dossiers d'assurance de toutes les victimes, de leurs bénéficiaires et des compagnies qui les assurent. Enquêtez du côté des gens en fonction ou à la retraite dans la police ou dans la sécurité, car notre homme semble connaître nos méthodes. Vérifiez s'il n'existe pas de lien avec la mafia. Parmi tout ce beau monde, fouillez le passé de ceux qui ont de l'argent, comment ils ont fait fortune, s'ils font partie d'un même groupe religieux, quels sont leurs médecins de famille, s'ils ont des amis communs qu'ils auraient fréquentés à l'école ou un camarade de classe frustré. Contactez vos indicateurs ainsi que les policiers des diverses localités des plus récentes victimes et voyez s'ils ne seraient pas au courant qu'un tueur à gages traînerait dans leur coin. Bon! Décidez entre vous dans quel secteur vous voulez chercher et partagez-vous le travail. Des questions?

Jamison porte son poignet à la hauteur de son visage et consulte sa montre.

— Il est midi. Bon appétit!

Tout le monde se lève et quitte la salle.

Jamison observe Jarvis qui garde les yeux rivés sur ses notes.

— Jarvis, venez par ici!

Jarvis se mord les lèvres. Elle est désolée de sa tirade et regrette d'avoir froissé l'orgueil de Jamison en ayant quitté la salle en plein exposé. Elle s'avance.

— Excusez-moi, Monsieur, je ne voulais pas…

— Je vous félicite, il faut parfois oser. Cette fois vous vous êtes trompée, mais la prochaine fois sera peut-être la bonne. Castelli a bien apprécié votre travail dimanche à l'église de Bifield. Je voudrais que vous vous rendiez à Sharonneville, sur les lieux du dernier double meurtre. Une première équipe y est déjà passée, mais allez-y et voyez ce que vous pouvez y trouver. Si nous avons affaire à un tueur à gages, il finira par laisser des indices, ou peut-être qu'on trouvera celui qui commandite.

— Merci, Monsieur.

Jarvis se retourne et s'apprête à quitter les lieux quand, soudain, elle décide de faire demi-tour.

— Pardonnez-moi?

Jamison, qui s'est déjà replongé dans ses notes, relève la tête. Jarvis inspire une grande bouffée d'air.

— J'aimerais si possible être accompagnée…

— Prenez qui vous voulez, réplique Jamison.

— Simon Seward est un stagiaire qui travaille justement à Sharonneville. Je sais que vous ne l'avez pas gardé dans votre groupe d'enquêteurs, mais comme il est déjà sur les lieux et qu'il a établi les premiers contacts avec la police locale, je me disais…

— C'est d'accord.

— Merci.

Jamison se replonge dans ses dossiers. Jarvis quitte précipitamment la salle sans laisser à Jamison le temps de revenir sur sa décision.

15

Lundi soir, au bar…

Robinson et Seward sont assis à leur table habituelle. Une superbe serveuse passe devant les deux compères, plateau en main. Robinson la dévore du regard. En bonne professionnelle de la vente, la serveuse pose sa main libre sur l'épaule du lascar, se penche et lui décoche un large sourire.

— Tout va bien ici, les gars ?

— Tout est parfait ! répond Robinson en ramassant son verre de bière rempli à ras bord.

— Si vous avez besoin de quoi que ce soit, faites-moi signe.

— On n'y manquera pas ! répond Robinson d'un ton suave.

La serveuse retire sa main et accourt vers la table suivante. Robinson engloutit sa bière d'un trait. Seward, qui a tout juste goûté à la sienne, mange distraitement des cacahuètes.

— Hé! arrête! Ça ne va pas? Tu vas te rendre malade! Tu oublies que tu conduis?

Robinson sort ses clefs de sa poche et les tend à Seward.

— Tiens, prends-les. Cette fille est un ange, je vais commander une autre bière. Je veux qu'elle me touche encore une fois.

Seward s'empare des clefs pendant que Robinson agite son bras pour attirer l'attention de la serveuse. Celle-ci lui fait signe qu'elle l'a vu et lui adresse une œillade. Au même moment, Seward aperçoit Jarvis qui vient de franchir la porte du bar.

— Salut, Nicole!

— Salut, les gars!

— Tu as trouvé un parking pas trop loin? s'inquiète Seward qui la dévore des yeux.

— Jamais d'auto quand je bois, je suis venue en taxi, répond Jarvis le sourire aux lèvres, satisfaite de constater l'inlassable fascination qu'elle provoque chez Seward.

Elle s'assoit entre les deux hommes, ouvre sa serviette et en extirpe deux gros dossiers. Elle en tend un à Robinson qui s'empresse de le feuilleter.

— Qu'est-ce que c'est? C'est le meurtre de jeudi?

Jarvis dépose l'autre dossier devant Seward et se retourne vers Robinson.

— Dans le mille, on croit que c'est un tueur à gages. Comme on a toujours travaillé en équipe, je me suis dit que… Je compte sur votre entière discrétion, ce dossier est confidentiel.

Robinson redresse la tête.

— Super !

Jarvis se tourne de nouveau vers Seward.

— J'ai une bonne et une mauvaise nouvelle pour toi.

— Tu veux l'embrasser ? décoche Robinson tout excité de farfouiller dans un vrai dossier d'enquêtes en cours.

Seward ne peut retenir un rire nerveux. Encouragé par la réaction de son ami, Robinson récidive de plus belle.

— Mais avant d'aller plus loin, elle veut que tu saches qu'elle est un travesti.

Les garçons éclatent de rire comme des gamins. Jarvis affiche un sourire qui en dit long sur ce qu'elle pense de leurs blagues infantiles. Seward l'a remarqué, mais ne peut s'empêcher d'esquisser un dernier sourire en direction de Robinson avant de reprendre son sérieux.

— C'est bon, vas-y commence par la mauvaise.

— C'est que tu es un pauvre con ! J'ai déclaré à Jamison en pleine réunion que tu pensais que le meurtrier pouvait être un tueur en série. J'ai passé pour une vraie conne. Tout le monde s'est mis à rire. Comment vais-je faire pour leur imposer le respect maintenant ? La prochaine fois, pense avant de parler !

Robinson se porte à la défense de son ami.

— C'est quoi cette histoire d'imposer le respect ? De toute façon, tu as dit à Jamison que c'était l'idée de Simon, alors…

— Hé ! Quelqu'un t'a sonné ? Fantasme sur tes photos de macchabées ! Tu ne vois pas qu'on cause entre grandes personnes ? le fustige Jarvis.

— Quoi? relance Robinson.

— Oh, oh! Calmez-vous! On s'excite un peu trop par ici, s'interpose Seward. Et la bonne nouvelle?

— C'est que demain, je vais à Sharonneville pour examiner les lieux du meurtre et je t'ai choisi pour venir avec moi.

— Ouais! s'écrient les deux garçons en échangeant un regard complice.

Jarvis se bouche les oreilles et sourit.

— Jamison veut que j'aille voir si je ne trouverais pas un indice que les autres gars n'auraient pas vu. Je lui ai demandé si tu pouvais m'accompagner et il a dit oui.

Les deux jeunes hommes se lèvent et frappent leurs mains au-dessus de la tête de Jarvis qui se penche légèrement.

— C'est ça, embrassez-vous et rincez-vous l'œil avec vos belles petites serveuses *sexy*. Moi, je vais dormir. Demain on se lève tôt. Sharonneville est à plus d'une heure d'ici et je ne veux pas y passer toute la journée.

— Allez, reste encore un peu, tu viens à peine d'arriver et tu n'as rien commandé, supplie Seward.

— Et moi, je n'ai même pas encore eu ma deuxième bière. On en prend une ensemble? Je te l'offre, ajoute Robinson.

— Non, non, je ne peux pas. Merci, réplique Jarvis qui n'en démord pas.

La jeune femme ramasse sa serviette et se lève. Robinson la salue et elle lui retourne un sourire en coin. Seward se lève à son tour et l'accompagne jusqu'à la sortie. Une fois dehors, il la saisit par les bras et la fait pivoter vers lui.

— Je te remercie, c'est chouette d'être sur une enquête.

— Ce n'est pas tout à fait une enquête, c'est juste pour aller examiner les lieux.

Seward s'approche dans l'espoir de l'embrasser.

— Qu'est-ce que tu fais, Simon ? Tu pues l'alcool !

Seward se redresse aussitôt. Jarvis en profite pour filer jusqu'au bord du trottoir et héler un taxi. Seward n'ose pas aller plus loin. Il la regarde s'enfuir.

— Hé ! lui crie-t-il trop fort, perdu dans ses pensées.

Trois filles qui passent devant lui au même moment se bouchent les oreilles dans un grand éclat de rire.

— Quoi ? lance Jarvis en montant dans la voiture.

— Ce n'est rien, oublie ça. Bonne nuit !

La voiture démarre et Jarvis baisse sa fenêtre.

— Je passe te prendre à six heures trente.

Seward la salue de la main, regarde le taxi s'éloigner et retourne lentement rejoindre Robinson. Il prend une gorgée de bière, étend ses pieds sous la table et jette un regard sur la serveuse qui fait battre le cœur de son ami.

— Tu savais qu'un homme perd plus de 60 % de ses capacités intellectuelles en présence d'une femme qu'il trouve belle. Si tu t'approches trop près d'elle, je crois que tu es bon pour une lobotomie, Denis, conclut Seward qui commence à peine à se détendre.

Soudain, Robinson lui braque sous le nez l'épais dossier qui est déjà tout écorné.

— J'ai trouvé !

— Quoi, tu as trouvé le meurtrier ? blague Seward.

— Ce sont des villes vierges.

— De quoi parles-tu ?

— Tu te rappelles, je me demandais pourquoi Jamison avait envoyé ses meilleurs élèves dans des petites villes au lieu de les affecter sur des enquêtes.

— Ouais, je m'en souviens.

La serveuse revient et pose sa main sur l'épaule de Robinson.

— Excuse-moi, je suis débordée, je suis à toi tout de suite.

— Tout ce que tu voudras, j'attendrais toute la nuit s'il le fallait.

Ravie, la serveuse se tourne vers Seward.

— Il est mignon ton ami.

Robinson sourit béatement et la serveuse reprend son service. Seward rapproche sa chaise de Robinson.

— Qu'est-ce que tu disais ?

— Je l'attendrais toute la nuit.

— Non, pas à la fille… Qu'est-ce que tu voulais dire à propos des affectations ?

— Ah oui ! le dossier de Jamison ! Je ne sais toujours pas pourquoi il a choisi d'y expédier les étudiants les plus prometteurs au lieu de les garder dans son équipe d'enquêtes ou de les envoyer dans l'un des nombreux services du FBI comme cela se fait normalement. Mais je sais maintenant qu'il vous a envoyés là où il n'y a pas encore eu ce genre de meurtre. Regarde la carte, tous ces meurtres ont été commis dans un même périmètre tout autour de Washington, mais jamais dans la même ville. Jamison a donc repéré des villes susceptibles d'être l'hôte du prochain meurtre. N'ayant pas assez d'étudiants à inscrire au programme Ness pour couvrir toutes les villes potentielles, il a joué à la roulette et a manifestement frappé dans le mille avec toi à Sharonneville.

16

Mardi matin, 8 h, Sharonneville...

Jarvis se gare devant le Bureau du shérif. Elle attend dans la voiture pendant que Seward entre dans le poste. Biff est déjà là et les deux hommes se saluent. Seward se dirige tout droit vers les dossiers empilés à côté de son ordinateur et cherche le rapport du shérif sur le double meurtre de vendredi.

— Je ne serai pas ici de la journée, mon directeur m'a demandé d'aller examiner la maison des deux femmes qu'on a trouvées mortes vendredi. Tu pourras le dire au shérif quand il arrivera.

— Pas de problème ! lance Biff toujours prêt à rendre service.

— Où est le rapport du shérif ? Je l'avais laissé sur mon bureau et je ne le trouve plus.

Biff regarde autour de lui et ramasse un dossier sur le classeur.

— C'est celui-là ?

Seward s'empare du document.

— Merci.

Il jette un coup d'œil rapide sur les photos et constate qu'il s'agit du bon rapport. Il glisse le dossier sous son bras et ressort.

— J'y vais, salut !

Seward saute dans la voiture et Jarvis décolle aussitôt. Ils traversent une partie de la ville et arrivent à la maison incriminée. Jarvis gare la voiture dans l'entrée. Les deux stagiaires enfilent des gants chirurgicaux, puis Jarvis ramasse le dossier du FBI, le rapport du shérif et un appareil photo. Seward prend un magnétophone, le met en bandoulière et attrape un bloc-notes et un crayon. Ainsi parés, tous deux sortent du véhicule et passent sous les scellés. Une fois sur le perron, Jarvis sort une enveloppe de la poche de son blouson, en retire les clefs de la maison et déverrouille la porte.

— C'est le moment de vérité.

Ils pénètrent dans la demeure et une odeur d'eau de Javel les envahit. Seward met le magnétophone en marche.

— Ça sent fort, dit Jarvis.

— Forte émanation d'eau de Javel qui provient du tapis. Je confirme ce que j'ai lu dans le rapport du shérif qui fait mention que la scène du crime fut nettoyée par le tueur pour faire disparaître toute trace de son passage.

— Le hall d'entrée est nickel. Ça pourrait être l'œuvre d'un ex-psychiatrisé. Ils ont l'habitude de frotter de façon compulsive lorsqu'ils commettent un crime, commente Jarvis, fière d'étaler son savoir.

— Ce n'est pas exactement ça. Il est vrai que, lorsqu'on retrouve sur une scène de crime une section précise nettoyée à fond, il s'agit d'un aliéné libéré depuis peu d'un institut psychiatrique. Mais dans ces cas-là, le reste des lieux demeure souillé et ressemble à une véritable boucherie, corrige sans façon Seward.

Jarvis dépose les dossiers sur un tabouret dans le hall d'entrée et prend des clichés pour obtenir des angles différents de la scène de crime et, surtout, pour vérifier que rien n'a disparu depuis le passage des policiers. Elle poursuit son analyse.

— Le salon est impeccable, rien ne semble avoir été déplacé bien qu'il y a eu lutte dans l'entrée entre la victime et l'agresseur. La fille avait l'os de la joue cassé. Il manque un morceau de tapis à deux pas de l'endroit où l'on a découvert le deuxième cadavre. Comment est-il entré dans la maison ? Par la cuisine ?

— Je crois que c'est ça, regarde dans le rapport du shérif, répond Seward.

Jarvis dépose l'appareil photo sur un fauteuil et retourne dans le hall prendre le dossier du shérif. Seward se dirige vers la cuisine et remarque sur la poignée de porte des résidus de la poudre dactyloscopique utilisée pour la révélation d'empreintes.

— La porte ne devait pas être verrouillée !

Jarvis compulse le rapport du shérif.

— Exact ! D'après l'adjoint du shérif, la porte arrière n'était pas verrouillée au moment où la femme…, Annie Davis, devait prendre sa douche. On l'a trouvée nue, mouillée, avec des traces de savon sur le corps, il y avait de l'eau sur le carrelage et la douche coulait toujours. L'individu se serait introduit par la cuisine et serait allé la cueillir sous la douche.

Seward passe dans la salle de bains et ouvre le rideau de douche. Pendant ce temps, Jarvis examine les photos dans le dossier du shérif en se dirigeant vers le salon.

— Eh, Simon! Viens un peu ici!

Seward la rejoint.

— Qu'est-ce qu'il y a?... Dans la salle de bains, le rideau n'a même pas été arraché. Il n'y a aucune trace de bagarre. Il a peut-être frappé à la porte et elle est allée répondre.

Jarvis est décontenancée.

— Toute nue?... C'est ça, la fille est sortie de la douche sans fermer le robinet et sans se rincer ni s'essuyer, pour aller entièrement nue ouvrir la porte à un inconnu. Arrête de fantasmer! On est ici pour travailler... Regarde ça.

Jarvis tend la photo de la deuxième victime, celle trouvée morte dans le hall d'entrée.

— La femme porte des souliers de caoutchouc.

— Oui, tu as raison, et après? dit Seward en haussant les épaules.

Il redonne aussitôt la photo à Jarvis, n'y voyant aucun intérêt.

— Les souliers de caoutchouc, c'est pour la pluie! Mais elle n'a pas d'imperméable.

— Elle s'est habillée pour sortir et c'est elle qui aurait fait entrer le meurtrier. Elle serait donc la première victime et non la deuxième.

— Non, tu n'y es pas du tout, Simon ! Il y avait des provisions dans la voiture, donc elle ne quittait pas les lieux, elle arrivait sur les lieux. Tu n'as pas lu le dossier que je t'ai donné hier ?

Seward baisse la tête, penaud.

— On est sorti tard du bar et après, j'étais fatigué…

— Laisse tomber ! Au supermarché, les commis interrogés ont dit l'avoir vue sortir les bras chargés quelques minutes avant l'heure de sa mort consignée dans le rapport du médecin légiste.

Seward se dirige vers le hall et y déambule.

— Bon, elle a des chaussures de pluie et pas d'imperméable. Qu'est-ce que ça change ? Il n'est tombé que quelques gouttes vendredi, elle n'a pas jugé bon d'en porter.

Seward ouvre le placard du hall. Trois imperméables y sont accrochés.

— Ils sont là, Nicole ! Elle a simplement décidé de ne pas en porter ce jour-là.

— Tu veux rire, Simon ! Une femme qui sort en souliers de pluie sans imperméable, où as-tu vu ça ? Elle aurait pris un vêtement pour accompagner les chaussures de caoutchouc, un blouson ou un accessoire comme un chapeau… Un parapluie ! Elle devait avoir un parapluie ! Le rapport du FBI dit que la scène a été lavée soigneusement et qu'un morceau de tapis a été découpé. La victime a peut-être blessé le tueur en se débattant, mais ils n'ont pas trouvé d'arme. Elle devait avoir un parapluie qu'elle a utilisé pour se défendre.

Jarvis s'avance dans le hall et repose le dossier du shérif sur le tabouret, regarde autour d'elle et fouille dans le placard, pendant que Seward range son bloc-notes et son crayon dans la poche de son blouson et va vérifier dans la voiture des victimes. Il revient quelques instants plus tard.

— Je n'ai rien trouvé, et toi ?

— Moi non plus. Mais le meurtrier a dû être blessé.

— Oui tu as raison, Nicole.

— D'après moi, quand elle est arrivée, il était en train d'assassiner la femme dans la cuisine. Il aurait alors sauté sur Madame… Voyons, comment s'appelle-t-elle ?

Jarvis reprend le dossier du shérif et tourne les pages.

— … Cameron Lucas… dans le hall. Mais elle avait un parapluie et l'a blessé avant qu'il ne la tue. Si le test au luminol n'a révélé aucune trace de sang, c'est tout bonnement qu'il a découpé la portion de tapis qui en était souillée ! déduit Jarvis.

— Et il a lavé le tout, puis a aspergé de l'eau de Javel pour enlever le plus de traces possible d'ADN. Ce n'est pas une méthode infaillible pour brouiller les pistes, mais c'est beaucoup mieux que de ne rien nettoyer. La preuve, c'est qu'on n'a rien trouvé.

Seward fait les cent pas dans le hall. Jarvis sent qu'elle est sur le point de résoudre l'énigme.

— Simon, tu viens d'aller dans la salle de bains et tu dis qu'il n'y a aucune trace de violence. Le rideau n'est même pas déchiré ?

— Non, rien.

— Il connaissait les victimes ! C'est pour cela qu'il est entré sans effraction, il avait la clef. Il a maquillé toute la scène ! Il n'y avait aucune trace de violence sexuelle, c'est bien ça ?

Seward s'arrête et soulève le rapport du shérif pour prendre celui du FBI. Il y cherche l'information.

— Non, aucune trace de violence sexuelle sur aucune des deux femmes. On ne signale aucun objet volé non plus, Nicole. Or, lorsqu'il existe des liens entre le meurtrier et ses victimes, le vol est très fréquent. Pour ce qui est de la clef, je te rappelle que la porte n'était simplement pas verrouillée d'après le shérif adjoint. Je te concède que cela peut être parce que le meurtrier avait la clef et n'a pas refermé en partant. Mais, tu sais comme moi comment on fait pour savoir si le meurtrier avait la clef ? On vérifie les autres accès de la maison. Or, pour l'avoir lu hier, le rapport du shérif stipule que les fenêtres des chambres étaient grandes ouvertes de même que toutes les portes de la maison, et même celles de la voiture et celle du cabanon. Même leurs bicyclettes ne sont pas attachées, elles sont simplement appuyées sur le mur arrière de la maison. On peut donc conclure que les filles n'étaient pas fortes sur le verrouillage.

Jarvis poursuit sur sa lancée comme si Seward n'était pas là.

— Il a voulu camoufler le meurtre, c'est quelqu'un de la famille, un meurtre *intrafamilial*. Simon, la mise en scène est fréquente pour brouiller les pistes. Dans les drames familiaux, l'assassin inexpérimenté copie les meurtres médiatisés et non résolus pour incriminer un fou qui court toujours. Notre tueur lit les journaux à sensation… ou il fait partie de la police, ironise la jeune policière.

Seward écoute Jarvis tout en continuant sa lecture du rapport du FBI.

— Tu n'as rien écouté de ce que je viens de te dire. De toute façon, si tel était le cas, le tueur aurait recouvert le corps nu de la femme trouvée dans la cuisine.

— Pourquoi ? demande Jarvis.

— Parce que, fatalement, c'était la fillette qui devait découvrir les cadavres en revenant de l'école, dont celui de sa mère. Or, dans les crimes *intrafamiliaux*, les meurtriers recouvrent les corps pour éviter que les enfants qui découvrent les victimes ne restent traumatisés. Il n'y a rien de semblable ici, tu fais fausse route, Nicole.

Seward repose le dossier du FBI sur le tabouret. Jarvis, qui n'aime pas se faire prendre en défaut, empoigne le dossier du shérif et plonge le nez dans sa lecture, laissant Seward parler tout seul.

— L'eau coulait encore au moment de la découverte des deux corps. Elle a donc dû être bel et bien surprise sous la douche. Le meurtrier l'aurait menacée d'une arme pour la faire sortir et s'asseoir dans la cuisine pour la questionner... Non ! Elle avait des marques sur le cou, strangulation ? On n'a jamais retrouvé d'arme ni aucune blessure causée par un objet. Il l'a étranglée à main nue...

Totalement absorbée par sa lecture, Jarvis ne réagit pas aux propos de son collègue.

— ... Mais on n'a retracé que les marques d'une seule main. On les distingue très bien d'ailleurs, la main gauche d'après le rapport du shérif. Ce qui fut corroboré par l'analyse du labo. Il voulait peut-être faire parler la première victime. La deuxième victime l'aurait surpris et il lui a brisé la nuque. C'est toujours la même façon d'agir, ça doit être une force de la nature. Notre homme doit être le même que celui qui a commis les autres meurtres. Il n'a qu'un seul but : tuer et quitter les lieux au plus vite, sans laisser de traces. Mais quel est son mobile et qu'ont en commun toutes ces victimes ? questionne Seward en haussant le ton.

Jarvis, qui n'écoutait que d'une oreille, interrompt soudain sa lecture et lève la tête.

— Hé ! Comment fais-tu pour savoir tout ça sur le meurtrier ? Il me semblait que tu n'avais pas lu le dossier.

— Je n'ai jamais dit ça. J'ai lu seulement ce que je trouvais pertinent.

Seward se dirige vers les chambres à coucher tout en continuant d'enregistrer son monologue. Il entre dans la chambre principale et tire les tiroirs de la commode en coin située au fond de la pièce.

— Nicole, viens voir un peu !

La jeune femme le suit dans la chambre.

— Qu'est-ce que c'est ?

— J'ai trouvé un fouet et des menottes. L'équipe de vendredi n'a pas dû juger bon de faire analyser tout ça, car le crime ne présentait pas de connotation sexuelle… Mais je crois qu'il ne faut rien laisser au hasard.

Jarvis dépose le dossier du shérif sur la commode, sort un sac de sa poche et y insère les objets trouvés. Elle dépose le sac sur le meuble puis reprend le rapport. Seward entre dans la chambre d'enfant. Elle n'a rien de particulier. Un décor moderne et dénudé, un simple secrétaire contenant des vêtements d'enfant, un vieil édredon couché de travers sur le lit et un seul gros toutou un peu vieilli qui gît au sol. Jarvis repasse dans le hall et repose le rapport du shérif sur le tabouret. Elle va chercher l'appareil photo qu'elle avait laissé sur le fauteuil du salon et revient prendre des photos des deux chambres pendant que Seward retourne au salon en s'interrogeant à voix haute sur le mobile du meurtre. Il s'impatiente et crie à Jarvis.

— Si l'on trouve le mobile, on trouve le meurtrier. Il n'y a pas de trace d'effraction, la porte n'était pas fermée et elles n'ont été ni violées ni volées. Il faut faire analyser les menottes, le fouet, quelques petites culottes et autres trucs de ce genre pour vérifier s'il y a des traces d'un troisième partenaire d'occasion qu'elles auraient ramené d'un bar et qui aurait participé à leurs ébats amoureux. Peut-être que le meurtrier se serait pris un peu trop au sérieux en jouant les bourreaux et serait revenu achever son travail.

Jarvis regagne le hall, croise Seward en route pour la cuisine, dépose sur le sol l'appareil photo et le sac contenant les divers objets recueillis dans la chambre à coucher, ramasse le rapport du shérif et reprend sa lecture depuis le début en se dirigeant vers le salon. Pendant ce temps, Seward arpente la cuisine de long en large en se creusant les méninges à la recherche de quelque chose, sans trop savoir quoi. Il s'exprime à voix haute pour faciliter sa concentration.

— Je suis sûr que notre tueur a commis aussi une partie des meurtres documentés dans le rapport du Bureau. Un tueur à gages? Jamison a raison, mais je n'en suis pas sûr. Un tueur à gages qui ne prend des contrats que dans des villes différentes, qui devient ami avec ses victimes et qui tue maintenant à des dates rapprochées, je ne sais pas… Ça, c'est étrange ! Voyons… Peut-être que c'est vraiment un tueur en série, un tueur compulsif ou un mélange des deux. Nicole, tu m'écoutes ? Je me forge une hypothèse à partir des données qu'on a.

— Oui, oui !

Jarvis reste plongée dans le rapport du shérif qu'elle lit et relit sans cesse, assise confortablement dans un fauteuil. Seward, quelque peu réconforté par ce bien tiède encouragement de sa partenaire, la rejoint au salon où il poursuit son analyse.

— Nous n'avons encore identifié aucun suspect commun aux différentes victimes. Le tueur en série connaît souvent sa première victime. Sa méthode évolue avec l'âge, le nôtre n'en a pas changé depuis au moins dix ans. Il ne tue pas avec un synchronisme espace-temps, par exemple à la pleine lune. Les meurtres semblent plutôt aléatoires, mais on peut déceler un début de compulsion. Un double meurtre jeudi et un autre doublé vendredi. Oh ! ce n'est pas ordinaire ! Il existe deux modèles bien typés de tueur en série, l'organisé et l'inorganisé. Ce n'est pas un psychotique, les lieux sont trop propres, il serait plutôt psychopathe, donc organisé. Les scènes de crimes sont contrôlées, aucune agressivité n'y est exprimée, tout reste rangé. Le tueur est organisé et athlétique, notre homme tue à mains nues. Il tue de sang-froid, il est calme puisqu'il prend le temps de faire le ménage de la scène du crime. Il tue sans mobile connu et que des gens aisés ou presque. C'est bien ça. C'est donc un homme athlétique et de milieu aisé, avec un héritage ou un emploi qui lui laisse du temps libre. Une profession libérale. Il tue de façon compulsive, car il sent sa fin proche. Un enquêteur de chez nous ou d'ailleurs a dû l'interroger et il est devenu compulsif. C'est ça, Nicole, je l'ai !

Jarvis sursaute, car s'étant replongée dans sa lecture, elle ne l'écoutait plus qu'à moitié.

— Tu as quoi ?

— Notre homme est un tueur en série organisé d'un milieu aisé.

— Oh ! attends ! Il n'effectue pas de mise en scène, or, les tueurs en série en font tous. De plus, il ne pratique pas la réification et il ne planifie pas ses meurtres à l'avance, il n'est donc pas organisé. Je te rappelle qu'il s'est laissé surprendre par la deuxième victime. Le tueur organisé tue dans sa tranche d'âge, puis, avec l'expérience, il s'en prend aussi à des victimes plus jeunes. Est-ce le cas ici ?

— Non.

— Non, et ses victimes sont-elles toujours à bas risque ?

— Non !

— Non plus, bref ton homme ne peut pas être un tueur en série organisé !

— Peut-être alors est-il mixte, à la fois organisé et inorganisé…

— Ah non ! ce n'est pas vrai !

— Oui, mais…

— Simon, tu n'es pas possible ! Les tueurs en série aiment s'amuser avec leurs victimes pour les rabaisser, il n'y a rien de tel ici. Ils aiment avoir une raison historique ou autre, un nom de rue significatif. Tuer des gens qui habitent en face d'un cimetière. Est-ce que tu vois un cimetière ici ?

— Non, mais…

— Est-ce que tu vois un lieu historique ?

— Non !

— Donc, il ne peut pas se donner bonne conscience de tuer. Or, c'est important pour eux.

— Oui, je sais…

— Tu en veux encore ? Pas de problème, j'ai relu de fond en comble mes notes de cours pas plus tard qu'hier soir. Ils augmentent leur plaisir à tuer en ayant des rapports sexuels et en torturant leurs victimes, vivantes ou mortes. Ils aiment dominer, pratiquer la sodomie pour démontrer leur toute-puissance. Il n'y a pas de ça non plus. Notre homme, si toutefois il s'agit du même tueur pour tous ces crimes et ça, je veux bien le croire, tue en brisant les nuques proprement, n'a agressé aucune de ses victimes et agit la plupart du temps à la vitesse de l'éclair. Les tueurs en série sont d'horribles pervers sexuels. Mais notre homme ne fonctionne pas comme ça. Tu aurais intérêt à relire les rapports comme moi et à te fier un peu plus aux analyses de nos experts du BSU avant de parler.

Jarvis lui brandit le dossier. Seward fait son *mea culpa*.

— Oui, d'accord, excuse-moi, peut-être que je me suis un peu emballé. Qu'est-ce que tu lis ?

— C'est le rapport du shérif.

— Tu peux le lire à voix haute ?

Jarvis reprend sa lecture sur un ton monocorde. Seward s'assoit pour l'écouter.

— *La victime trouvée nue dans la cuisine se nomme Annie Davis. Elle avait un lourd dossier de contraventions impayées. Elle a été fichée comme violente au volant pour une altercation sur laquelle le Bureau du shérif a été appelé à intervenir durant l'été. Elle avait apparemment frappé une femme enceinte dans un parking, mais cette dernière n'a pas voulu porter plainte et l'on n'a trouvé aucun témoin. Il n'y a donc pas eu de suite...*

— Mais qui a bien pu écrire ça ? demande Seward.

— C'est le shérif, je suis en train de lire son rapport.

Seward bondit et s'approche de Jarvis en lui tendant la main.

— Montre un peu.

Seward se met à lire le dossier. Il est stupéfait.

— Mais qu'est-ce que c'est que ça ? Je n'ai jamais transcrit ça !

— Mais c'est normal, c'est le rapport du shérif, pas le tien !

— Où sont les notes manuscrites du shérif ? Elles ne disaient pas ça !

— Il n'y avait que le formulaire officiel...

— Le shérif n'a jamais défini la personnalité des victimes. Je le sais, c'est moi qui devais transcrire le rapport sur ordinateur et ces notes ne disaient rien là-dessus.

— Je ne sais pas où sont ces notes ! C'est toi qui es allé chercher le dossier au Bureau du shérif tout à l'heure, pas moi ! se défend Jarvis.

Seward se remet à lire le dossier lorsque soudain, il s'écrie.

— Merde ! C'est la même description que Bob m'a faite de toi l'autre jour.

— Quoi ! Quel Bob ?

— Il m'a décrit ta personnalité dans les mêmes termes que ce rapport vendredi dernier.

Seward tourne le dos à Jarvis et se frappe le front.

— Bob, Bob…

— Comment ça, il t'a parlé de moi ? Mais qui est-ce ?

— C'est le shérif adjoint… La jambe !

— Quoi, la jambe ?

Seward se retourne vers Jarvis.

— Bob avait une jambe blessée. C'est pour ça qu'il est resté avec moi vendredi au lieu de venir ici après l'appel au Bureau du shérif. Il avait une jambe blessée… le parapluie et le tapis ont disparu. Il n'y a qu'un policier qui peut faire un travail si propre. Le rapport de Jamison sur le meurtre d'Altoona, c'est ça… Toi aussi tu l'as dit en blaguant tout à l'heure.

Seward est dans tous ses états.

— Du temps libre. Un policier a tout le temps qu'il lui faut pour observer ses victimes. Il vit seul et m'a dit qu'il aimait les balades en voiture… Que je suis bête ! Ce n'est pas un tueur en série, tu as raison, c'est un tueur à gages ! Bob prend des contrats sur des gens. C'est lui le tueur à gages ! C'est lui ! C'est Bob !

Jarvis ne comprend rien du tout aux propos délirants de Seward. Elle monte le ton.

— Mais qu'est-ce que tu racontes ?

Seward retrouve son calme.

— Le rapport qu'on vient de lire, ce n'est pas celui du shérif. J'ai lu son manuscrit hier, mais je n'ai pas eu le temps de remplir le document officiel avant de partir, alors je l'ai laissé sur le bureau. Bob ne m'a pas vu le lire. Il passe ses journées à se bercer sur le perron. Il a cru qu'il pourrait ajouter ce qu'il voulait dans le dossier. Il a une espèce de vision particulière de la vie, il analyse tout, c'est une sorte de paranoïaque misogyne. Où est ton portable ?

— Il est là.

— Passe-le-moi !

Seward balance le rapport du shérif sur le fauteuil derrière Jarvis pendant que celle-ci sort son portable de sa ceinture et le lui tend.

— Tiens. Qui appelles-tu ?

— Jamison.

Jarvis arrache le téléphone portable des mains de Seward.

— Tu veux rire ?

— Quoi ! Si Jamison accepte maintenant d'émettre un mandat, Bob sera pris de court et on n'aura plus qu'à surveiller sa réaction.

— Un mandat, un mandat, tu veux un mandat… Tu es tombé sur la tête, merde ! Tu crois vraiment que Jamison va envoyer la cavalerie pour coffrer un shérif adjoint parce que c'est un misogyne paranoïaque avec une psychologie à la con ?… Mais c'est la totalité des shérifs adjoints de ce pays que tu viens de décrire ! Tu as déjà entendu parler des preuves ? Il te faut des preuves.

Aveuglé par sa découverte, Seward est sourd aux propos de sa collègue.

— Passe-moi ton portable !

— Assieds-toi !

— Quoi ?

Jarvis fulmine. Elle lui désigne le fauteuil d'un doigt autoritaire. Seward s'exécute machinalement et reprend son souffle.

— Il faut…

— Tais-toi, je me concentre… Bon, il nous faut des preuves.

Seward reprend la parole sur un ton calme, respectueux et plus rationnel.

— Notre tueur ne tue pas de façon compulsive. En fait, il accumule les contrats, puis il les exécute tous d'un coup. Ensuite, il se fait oublier pendant un an ou deux. Il tue dans des villes différentes en espérant que l'on ne pourra pas regrouper les meurtres. Pourquoi ? Parce qu'il sait que les corps policiers n'échangent pas facilement leurs informations. Cela explique aussi pourquoi les victimes ne sont pas toutes exécutées chez elles. Il utilise les failles du système.

Jarvis reste songeuse. Seward poursuit.

— Tu me laisses au Bureau du shérif, c'est tout près d'ici. Je vais vérifier une chose ou deux. Pendant ce temps, tu files au labo, tu demandes à Denis de vérifier au plus vite si les cadavres portent des marques qui pourraient être attribuées à des menottes ou à des coups de fouet. Tu lui demandes également s'il s'est fait un ami qui pourrait nous analyser en priorité les menottes, le fouet et le reste, question de voir s'il n'y trouverait pas des traces de quelqu'un d'autre.

— Comme celles de Bob ?

— Peut-être qu'il devient intime avec ses victimes quelque temps avant de les éliminer. Il se familiarise ainsi avec les lieux. Ce qui expliquerait comment il fait pour agir si vite quand vient le temps de les exécuter.

— D'accord.

— On y va !

— Hé ! attends, Simon ! C'est à un représentant de l'ordre qu'on va s'attaquer. Alors, fais gaffe ! recommande prudemment Jarvis.

17

**Un peu plus tard, Bureau du shérif de
Sharonneville...**

La voiture de la jeune policière freine brutalement
devant le Bureau du shérif. Seward saute du véhicule,
esquisse un salut et Jarvis redémarre aussitôt. Seward
pénètre à grandes enjambées dans le Bureau.

— Salut Karl !

— Salut Ness !

Seward dépasse en coup de vent le bureau du shérif
et s'arrête à celui de l'adjoint. Il s'empare de la plaque
où est inscrit son nom et file à son poste de travail. Il
s'assoit devant son ordinateur, le met en marche et entre
dans le site du FBI. Il tape son mot de passe et interroge
les banques de données sur le nom de Robert Conway.
En une fraction de seconde, sa fiche apparaît à l'écran.
Seward est entièrement concentré sur sa lecture.

— Je l'aurais parié ! s'écrie-t-il triomphalement.

Il se lève d'un bond, se campe devant le bureau du shérif et appuie ses deux poings sur le meuble, de chaque côté du triangle de métal où est inscrit le nom de Karl Conrad. Le shérif lève la tête et le regarde, déconcerté. Seward le toise en affichant un large sourire.

— Savez-vous où était Bob vendredi matin ?

— Il était là, en train de se bercer comme d'habitude.

— Je veux dire à quelle heure il est arrivé ? Est-ce qu'il était déjà là quand vous êtes entré ?

— Bien sûr… En fait, non. Il est arrivé à peine cinq minutes avant toi. Pourquoi ?

— C'est bien ce que je pensais ! Je le cherche, vous savez où il est ?

— Non, il a fini tard hier soir, puis il est parti en congé pour deux semaines.

— Je dois l'interroger concernant le meurtre de vendredi.

Le shérif dépose son crayon, fait basculer sa chaise et met ses mains derrière la tête, l'air amusé.

— Mais de quoi parles-tu, Ness ?

— Des deux femmes retrouvées mortes vendredi. J'aurais une ou deux questions à lui poser. Simple routine. Il n'est pas né dans le Sud. Il vient d'une ville du nord.

Le shérif se tourne vers l'ordinateur de Seward et voit qu'il est encore ouvert dans le site du FBI. Estomaqué, il bascule complètement sa chaise et tombe sur le dos. Il se relève aussitôt, fou de rage.

— Fous-moi le camp d'ici, petit con !

Grisé par la montée d'adrénaline qui l'a envahi, Seward a perdu toute prudence et en remet.

— Vos notes manuscrites du rapport ont disparu, c'est lui…

— Qu'est-ce que tu racontes ? Ça fait trente ans que je connais Bob et ce n'est pas un petit con comme toi qui va venir foutre le bordel ici ! Biff, Puce, sortez-moi ça d'ici !

Les deux adjoints bondissent de leur siège, empoignent Seward, le soulèvent de terre et le maintiennent ainsi devant le shérif. Désemparé, le pauvre stagiaire tente de faire entendre raison au shérif.

— Écoute, Karl !

— Qui t'a permis de m'appeler Karl, petit con ?

— Excusez-moi, Shérif. Écoutez, l'autre jour, il m'a dit qu'il était né dans le coin, plus au sud…

— Je sais très bien d'où il vient…

— Il m'a raconté que ses parents vivaient dans le Sud. C'est faux, Shérif ! Et ses parents sont morts quand il était petit. Il a été pris en charge par un orphelinat…

Le shérif est indigné. Il ramasse Seward par la cravate et le tire vers lui, par-dessus son bureau. Les deux mains maintenues dans le dos par les deux adjoints, Seward se retrouve le visage collé contre celui du shérif qui l'étrangle.

— Tu as fait une enquête sur un de mes hommes en consultant vos dossiers de merde du FBI avec un de mes ordinateurs ? Ici, personne n'enquête sur moi ni sur mes hommes !

Seward commence sérieusement à étouffer, mais plaide toujours, d'une voix de plus en plus rauque.

— Excusez-moi... mais vous ne comprenez pas, Shérif.

Le shérif pointe son index entre les deux yeux de Seward.

— C'est toi qui ne comprends rien, Ness. J'ai toujours su d'où il venait et sa vie n'a pas été facile. Mais ce n'est rien en comparaison de ce qui t'attend si tu remets les pieds ici. C'est clair ?

Seward peut à peine respirer. Incapable de parler, il fait oui de la tête. Le shérif le repousse et ses adjoints le libèrent brusquement. Le pauvre bougre s'affaisse sur le sol. Le shérif se penche au-dessus de son bureau et regarde Seward qui tente de reprendre son souffle.

— Tu crois que cet homme va raconter sa vie privée à un petit blanc-bec dans ton genre parce qu'il fait joujou avec un insigne du FBI ? Tu n'as pas intérêt à foutre ton nez dans nos affaires. Fais gaffe de ne pas ramener tes fesses par ici, pauvre con.

Seward se relève péniblement.

— Ça va, je m'en vais. Je peux récupérer mes affaires ?

— Biff, ramasse-lui tout ça et fous-lui dans une boîte !

Biff s'exécute sans mot dire pendant que Seward replace ses vêtements.

— Je n'ai pas d'auto.

Le shérif se rassoit.

— Biff va t'accompagner hors de MA ville. Maintenant, va attendre dehors, dégage de ma vue !

Seward sort du Bureau et s'assoit sur les marches. Biff arrive quelques minutes plus tard en portant la boîte qui, quelques jours auparavant, avait servi à transporter les effets personnels de l'aspirant du FBI à son nouveau lieu de stage. Il passe à côté de Seward, descend une première marche, s'arrête deux marches plus bas et lui fait un signe amical de la tête.

— Allez, amène-toi, je vais te reconduire chez toi.

18

Mercredi matin...

Jamison est assis dans son fauteuil. Il n'a pas envie de plaisanter.

La veille, quelques minutes à peine après l'éviction de Seward, le shérif lui avait téléphoné pour lui signifier dans des termes peu élogieux qu'il ne voulait plus recevoir ses stagiaires. Jamison était furieux. Il demanda à sa secrétaire de sommer le jeune stagiaire de se présenter à son bureau dès la première heure le lendemain. Cette dernière avait dû laisser un message dans la boîte vocale de Seward, à son domicile.

Pendant ce temps, Jamison avait contacté l'un de ses proches collaborateurs du FBI qui avait ses entrées à la mairie de Sharonneville, pour trouver un moyen de récupérer la situation auprès du shérif. Il devait maintenant décider du sort de Seward, dont le stage venait de prendre fin abruptement. S'il s'était trouvé devant lui à cet instant, il l'aurait expulsé sur l'heure de l'Académie. Dans l'après-midi, Jamison l'avait fait chercher partout, mais Seward s'était terré, comme le lui avait conseillé gentiment Biff. C'est dans ces moments-là qu'on apprécie de ne pas posséder de portable.

Pendant ce temps, Seward avait appelé Jarvis d'un téléphone public et lui avait expliqué ce qui lui était arrivé. Jarvis lui avait répondu qu'elle avait rendez-vous avec Jamison le soir même pour lui résumer leur visite à Sharonneville. Elle en profiterait pour prendre le pouls du directeur et tenter de calmer le jeu. En attendant, Seward n'avait plus qu'à retourner se réfugier dans son appartement où elle devait le rejoindre en fin de soirée. Il reçut trois appels, mais ne décrocha pas. Tous provenaient du Bureau de Jamison. Dans le dernier message, vers les vingt et une heures, la secrétaire de garde le convoquait de nouveau pour le lendemain matin, sans faute.

*
* *

Jamison fustige Seward du regard.

— Vous avez été foutu dehors ! C'est inacceptable ! Qu'avez-vous pensé ? Les shérifs qui acceptent de coopérer au programme Ness sans trop d'histoire ne courent pas les rues. Qu'avez-vous à dire pour votre défense ?

Seward garde respectueusement les yeux rivés au sol. Il doit se contenir pour éviter de raconter son histoire tout à trac.

— J'ai fait une enquête sur un des adjoints…

— Je sais tout ça. Jarvis m'a exposé votre hypothèse hier soir et j'y réfléchis. Vous savez, je n'ai aucun autre endroit disponible pour vous permettre de finir votre session et vous éviter de reprendre votre année. Heureusement pour vous, Jarvis m'a aussi dit qu'elle acceptait de vous prendre sous son aile. Je veux bien faire une exception. Un des adjoints du shérif m'a dit beaucoup de bien de vous. Un dénommé… Bifford Dooley, je crois.

Seward relève la tête et fait un sourire pour tenter d'alléger l'atmosphère, mais Jamison le fixe en silence. Le stagiaire déchu baisse la tête et ravale son sourire. Jamison reprend.

— Je vous laisse une dernière chance, il n'y en aura pas d'autres.

— Merci, Monsieur.

— Ne me remerciez pas, remerciez plutôt Jarvis. Vous n'aurez aucune autre chance, suis-je bien clair ?

— Oui, Monsieur.

— Vous pouvez disposer… Attendez ! En sortant d'ici, passez au Service de l'approvisionnement, je vous ai réservé un téléphone portable. Ne l'oubliez pas !

— Bien, Monsieur. Merci.

Seward quitte le bureau sans demander son reste. En refermant la porte, il pousse un soupir de soulagement. Jarvis est là qui l'attend.

— Et qu'est-ce qu'il t'a dit ?

Seward prend Jarvis dans ses bras et pose un baiser sur sa joue.

— Tu m'as sauvé la vie. Il accepte que je travaille sous tes ordres.

Jarvis lui retourne son plus beau sourire.

— Je ne sais pas comment te remercier.

— Commence par me lâcher et file au labo voir si Denis n'aurait pas des résultats pour nous.

— J'y fonce. Tu m'accompagnes ?

— Non, je vais rester pas trop loin de Jamison à lui faire des sourires toute la matinée, pour lui flatter l'ego en guise de remerciements.

Les deux stagiaires se mettent à rire et Seward prend la direction du laboratoire, non sans passer d'abord par le Service de l'approvisionnement pour prendre possession du portable que Jamison a réservé à son intention.

*
* *

Jamison n'a pas sauvé Seward uniquement par humanité envers l'un de ses étudiants. Il est vrai qu'il a dû utiliser tous les moyens mis à sa disposition pour conserver un bon contact auprès du shérif de Sharonneville. Il est aussi vrai que les shérifs qui acceptent de participer au programme Ness ne sont pas légion. Il n'en demeure pas moins qu'il existe nombre d'autres villes où il aurait pu l'envoyer terminer son stage, s'il avait voulu se donner la peine de passer quelques coups de fil. En fait, le stagiaire avait inconsciemment joué le rôle qu'attendait de lui son supérieur. Jamison avait délibérément envoyé ses meilleurs étudiants sur le programme Ness. Ces derniers, se disait-il, seraient les plus aptes à lui fournir de l'information privilégiée si un meurtre était commis sur un des territoires où il avait choisi de placer ses protégés. Sa stratégie avait porté ses fruits dans le cas de Sharonneville. Par la suite, mardi soir, il avait pris la décision de créer le duo Seward-Jarvis après que celle-ci lui eût fait part de leurs découvertes sur le double meurtre. Il en avait été vraiment impressionné. Leur théorie d'un shérif adjoint tueur à gages et d'un parapluie qui aurait disparu, donc d'une mise en scène orchestrée par l'assassin, l'avait fasciné au plus haut point. Elle apportait des éléments nouveaux et pertinents. La chance des débutants se disait-il. De toute façon, leurs trouvailles leur donnaient bien droit à un écart de conduite.

Plus tard dans la soirée, il avait donc discuté sciemment du problème Seward avec Jarvis pour observer sa réaction. Bien qu'elle n'a mentionné qu'une seule fois le nom de Seward dans son rapport sur leur récente enquête, Jamison savait pertinemment que Seward y avait participé activement et il se souvenait que c'est Jarvis elle-même qui avait proposé, la veille, que Seward l'y accompagne. Il se doutait bien qu'elle retirait un profit de sa collaboration avec Seward, mais cela ne l'intéressait guère. Il ne voulait pas la priver de cet avantage qui lui permettait d'accomplir un travail professionnel dont il pourrait tirer parti.

19

Peu de temps après, laboratoire du FBI…

Seward est en train de faire joujou avec son téléphone portable afin d'en comprendre les fonctionnalités. Il téléphone à Jarvis pour lui donner son numéro et tombe sur sa boîte vocale au moment où il passe les portes du laboratoire du FBI. Il dépasse la réception et poursuit dans le couloir qui mène au bureau de Robinson. Il laisse son numéro, ferme son appareil et frappe à la porte.

— Entrez! s'écrie Robinson.

— Salut! dit Seward qui ne fait que passer sa tête dans le cadre de la porte.

— Hé! Ça va? Entre, Simon! répond Robinson qui se lève pour aller saluer son copain.

— Oui, et toi?

— Très bien, qu'est-ce qui me vaut ta visite? J'ai pris le message que tu m'as laissé hier soir concernant ton stage. C'est moche! Est-ce que tu as du nouveau? Tu as vu Jamison? Raconte!

— Sans Nicole, j'y passais.

— À ce point?

— Oui, Monsieur! Mais tout va bien, je vais travailler avec elle maintenant, je te raconterai plus tard. Nicole t'a-t-elle amené des trucs à analyser hier?

— Non... je blague. Oui, j'ai examiné les objets et je n'ai rien trouvé de particulier, mais je n'ai pas encore reçu les résultats du labo. Assieds-toi.

L'étroit bureau du stagiaire est meublé d'une table en bois, d'un fauteuil et de deux chaises. Seward tire l'une d'elles et s'assoit.

— Merci.

Robinson retourne derrière le bureau et s'installe confortablement sur son siège.

— Veux-tu que j'aille vérifier s'il y a du nouveau?

— Oui, si tu peux.

— Pas de problème, je reviens dans cinq minutes. Reste là et fais comme chez toi! J'étais justement en train de regarder de nouvelles photos des deux victimes de Sharonneville. Jarvis m'a dit que tu croyais qu'il y avait une troisième personne qui participait à leurs ébats amoureux. C'est bien ça?

— Oui, entre autres choses. Je peux les regarder?

— Bien sûr.

Robinson quitte la pièce. Seward s'approche et examine les clichés des deux femmes. Pour les besoins de l'autopsie, on a dû les coiffer vers l'arrière pour dégager leurs visages. Il remarque qu'elles se ressemblent énormément. Étrangement, elles ont le même faciès que Jarvis, en particulier Annie Davis, la mère, qui fut retrouvée nue dans la cuisine.

— *Il n'agresse pas sexuellement ses victimes*, pense Seward. Tous ces morts doivent avoir un point commun, une personne a dû payer Bob pour les exécuter, ou quelque chose comme ça. Peut-être que Bob est lui-même le lien, poursuit-il à voix haute pour lui-même.

La veille au soir, après sa rencontre avec Jamison, Jarvis avait décidé de profiter du fait que Conway était en vacances pour fureter avec Seward autour de sa maison. Tous deux avaient regardé par les fenêtres et n'avaient rien noté d'anormal. Certains stores étaient même restés ouverts. Ils avaient questionné l'un des voisins qui, malgré l'heure tardive et la température fraîche des soirées d'automne, était assis dehors à caresser ses chiens. Mais toujours rien. Seward avait épluché le dossier du shérif adjoint durant la nuit et, encore là, il n'avait rien trouvé qui puisse le relier à tous ces meurtres, mis à part les deux dernières victimes dont le seul lien était qu'elles habitaient dans la même ville que lui.

— *Dans la même ville, c'est mince comme raison pour tuer quelqu'un*, pense Seward. Il y a quelque chose qui m'échappe. Quel salaud !

Robinson surgit derrière lui au même moment.

— J'espère que tu ne parlais pas de moi ?

— Non, rassure-toi.

— J'ai regardé, mais les résultats ne sont pas encore disponibles.

Le portable de Seward sonne.

— Oui, allo !… Pardon ! Agent spécial Seward !

Jarvis est à l'autre bout du fil. Elle s'apprête à s'asseoir à la table de conférences de Jamison.

— Il faut que tu rappliques au plus vite. Jamison a reçu de nouveaux résultats dont il veut nous faire part. Il convoque tout le monde ici tout de suite.

— J'arrive !

Seward coupe la communication, sort un crayon et un bloc-notes de son veston, y inscrit son numéro de portable et tend le papier à Robinson.

— Tiens ! Je dois y aller. Rappelle-moi dès que tu auras du nouveau, c'est très important pour moi.

— D'accord, je regarde ce que je peux faire.

20

10 h 30, Bureau de Jamison...

Seward pénètre dans la salle de conférences où Jamison vient tout juste d'entamer son exposé. Jarvis lui a réservé la chaise voisine en y plaçant ses notes de cours. Seward les dépose sur la table et s'assoit. Personne ne relève son retard, l'atmosphère est à la solidarité. Tous savent que, normalement, lorsque le directeur convoque les inspecteurs en réunion extraordinaire, c'est qu'il y a du nouveau. Jamison présente Seward aux autres membres de son équipe en le qualifiant de stagiaire de la stagiaire. Cela fait bien rigoler l'assemblée. Du reste, le jeune aspirant a droit à des saluts sympathiques des vétérans. Jarvis se penche vers Seward.

— Est-ce qu'ils ont trouvé quelque chose au labo? murmure-t-elle à son oreille.

— Non, rien pour l'instant, répond Seward à voix basse.

*

* *

À la suite de la réunion précédente, Jamison s'était précipité au BSU avec un double du dossier sur les quinze meurtres non résolus qu'on présumait être l'œuvre d'un tueur à gages. Il voulait en fait vérifier s'il s'agissait plutôt d'un tueur en série, comme le lui avait suggéré Jarvis. *Dossier prioritaire*, avait-il précisé à son confrère Lionel Clark, directeur de cette unité. Jamison flairait un gros coup pour sa carrière. Si l'hypothèse de Jarvis s'avérait exacte et qu'elle menait rapidement à l'arrestation de ce détraqué, un bon poste l'attendrait à Washington. En effet, cette suite de crimes atypiques parmi lesquelles se trouvaient de grosses huiles commençait à faire jaser en haut lieu. Surtout depuis que le nom de la tante d'un élu du Congrès figurait parmi les victimes.

De son côté, Lionel Clark n'était pas né de la dernière pluie, lui non plus. Le vieux renard connaissait l'importance de l'enquête et savait que son équipe n'aimerait pas devoir réviser ses propres conclusions sous prétexte qu'un des membres du département des enquêtes les mettait en doute. Il avait donc transmis le dossier à un profileur externe, en lui spécifiant : *les meurtres que nous vous soumettons ont été commis par un tueur en série. Nous aimerions que vous établissiez son profil. Recevez mes meilleures salutations, Lionel Clark, directeur de l'Unité des sciences du comportement, FBI.*

Cette méthode scientifiquement éprouvée est occasionnellement utilisée au FBI. Elle consiste à présenter comme un fait établi une nouvelle hypothèse qu'on souhaite vérifier. Si les résultats du profileur la confirment, l'enquête s'orientera vers le nouveau profil du tueur. Dans le cas contraire, elle sera écartée.

Jamison poursuit la réunion extraordinaire qu'il a commandée. Il peut maintenant faire état des résultats à son équipe.

— Mademoiselle, Messieurs, je viens de recevoir les résultats du BSU concernant les quinze meurtres dont nous avons parlé à notre dernière réunion. L'éminent professeur de psychologie de l'université de Boston auquel a été confiée l'élaboration du profilage est formel. Les quinze crimes ont tous été commis par une seule et même personne. En conclusion, notre homme serait un tueur en série. Bravo, Jarvis, vous avez eu un flair excellent !

Toute l'équipe applaudit. Jarvis affiche un sourire béat. Seward redresse brusquement la tête. Il est stupéfait.

— TU as eu un flair excellent ? chuchote-t-il à l'oreille de Jarvis, en insistant sur le tu.

Jarvis se renfrogne. Elle n'aime pas du tout le sous-entendu. Jamison reprend son exposé.

— Il s'agirait d'un homme de race blanche âgé de trente-cinq à cinquante-cinq ans, célibataire, sportif et doté d'une grande force physique. Il doit connaître les arts martiaux, puisqu'il tue à mains nues. Notre homme agit seul, c'est pourquoi il se déplace vite et de nuit. Il est gaucher, il a donc une personnalité artistique qu'il ne peut probablement pas exprimer. Il tue dans divers groupes ethniques, il vit probablement dans une région cosmopolite.

Notre tueur brise la nuque de ses victimes. Cette technique laisse supposer qu'il peut avoir été élevé sur une ferme ou bien qu'il a travaillé dans un abattoir. L'absence de viol et de trace de pénétration d'objet indique qu'il est puéril. Il habite probablement encore chez ses parents.

D'après le spécialiste, il tire sa motivation dans le plaisir à faire souffrir psychologiquement les enfants, car toutes ses victimes, sauf Bill Bill et le couple Rupert, avaient des enfants en bas âge. Il peut s'agir d'un ex-détenu, un ancien pédophile qui a dû suivre une cure psychiatrique après sa capture. Il a sans doute été soigné par castration et stimulation *béhaviorale*. C'est pourquoi il n'attaque plus les enfants, car il est conditionné à les craindre. Mais il les désirerait toujours sexuellement. Il métamorphose donc ce désir en haine, car il les considère comme responsables de tous ses maux. Il tue alors des adultes en espérant que leurs enfants se réfugieront dans ses bras pour quémander son affection. Mais, dans les faits, il quitte les lieux avant leur retour. Nous aurions affaire à un prédateur sexuel castré.

C'est un tueur en série à comportement mixte. Il fait disparaître les preuves, il est donc organisé et intelligent. Il tue parfois en plein jour comme tout bon narcissique, ce qui lui a déjà valu de se faire surprendre par l'amie d'une de ses victimes à Sharonneville. Si le profilage du meurtrier est exact, il serait également affligé d'une structure fantasmatique de toute-puissance qui le pousse à exécuter des gestes inorganisés. Une telle structure est difficilement conciliable avec la personnalité d'un pédophile. Nous serions ici en présence d'un cas unique, extrêmement dangereux et non répertorié.

Pour l'instant, il s'en prend surtout à ceux qui représentent l'ordre établi, donc à des gens qui ont des enfants, une réussite sociale et qui sont aimés de tous. Comme César, ce mégalomane refuse d'être le second. C'est pour cela qu'il s'attaque principalement aux dignitaires. Après son meurtre, il se sent le maître de la ville. Elle est devenue son territoire où tous les enfants lui appartiennent. Mais ce sentiment n'est que temporaire ; n'arrivant pas à se satisfaire sexuellement ni avec ses victimes ni avec leurs enfants, il doit sans cesse récidiver de ville en ville.

Le fait qu'il commette ses meurtres à des intervalles de plus en plus rapprochés indique peut-être qu'il ne tire plus autant de satisfaction à s'attaquer à des adultes. Il risque de changer de cible. N'oubliez pas que sa dernière en date, Annie Davis, était délicate comme un enfant. Si ce crime a ravivé sa pédophilie, il va recommencer à agresser des enfants. Si, par contre, il lui a fait transposer sa crainte des enfants sur les adultes, il risque de se replier sur lui-même et de se terrer pendant des années. Sa prochaine victime nous dira où il en est.

Pour ce qui est de Bill Bill et du couple Rupert, ils seraient des victimes de passage ou des connaissances. Bill Bill serait bel et bien le premier de la série. Il faudra revoir son dossier en profondeur.

Les détails complets du profil sont dans ce document d'une trentaine de pages. Voici vos exemplaires…

— Vous avez des questions ?… Bon, allez-y et pensez à tout ça. Vous deux, filez à l'hôpital psychiatrique où a séjourné Bill Bill et épluchez les dossiers des patients qui le côtoyaient. Vérifier s'il y en a qui pourraient correspondre au profil recherché et qui seraient actuellement en liberté. Castelli, venez avec moi. Nous allons interroger les ordinateurs sur les pédophiles en liberté qui auraient subi un traitement chimique ou chirurgical, et demander aux corps policiers de la région étendue de Washington de nous signaler toutes les activités suspectes concernant un pédophile récidiviste dans leur juridiction.

Seward et Jarvis ramassent leurs effets et descendent au vestiaire. L'atmosphère est tendue. Jarvis casse la glace.

— Qu'est-ce qu'il y a ?

— Qu'est-ce qu'il y a ? Je vais te dire ce qu'il y a ! Tu m'avais dit que Jamison savait que c'était MON idée, celle du tueur en série !

— Oh ! C'est ça ! Oui, bien… j'ai dû oublier de mentionner ton nom ou alors c'est Jamison qui a mal compris, qu'est-ce que j'en sais moi ?

— Quoi, oublié ! Qu'est-ce que tu racontes ? Et c'est quoi tout ce tissu de conneries d'ex-pédophile ? Tu sais comme moi qu'un profileur ne fait qu'émettre des hypothèses.

— Oui, mais elles s'avèrent justes quatre fois sur cinq. Tu ne vas pas me dire maintenant que tu ne crois plus que c'est un tueur en série !

— Tu ne vois donc pas qu'il y a quelque chose qui cloche dans leur théorie ?

— Non, tu m'excuseras, mais je ne vois pas !

— Merde, c'est Bob le tueur !

— Encore ! Mais on a même fait le tour de sa maison et l'on n'a rien trouvé, et le profileur…

— Écoute, je vais te dire : ils veulent un homme qui n'aime pas les enfants ; Bob n'en a jamais eus. Ils veulent un homme fort qui sait se battre ; Bob est dans la police. Ils veulent un homme qui a appris à tuer les poulets en leur brisant la nuque ; Bob habite sur une ferme. Ils veulent un gaucher ; Bob porte son arme à gauche. Ils veulent un artiste frustré ; cet homme passe son temps à observer les mouches qui volent…

— Je n'en peux plus, arrête tes conneries !

— Il t'a même analysée et tu sais, les filles à la morgue, elles te ressemblent vraiment.

— Quoi ! Mais qu'est-ce que tu racontes ?

— Non, rien. Oublie ça, abandonne Seward en voyant Jarvis se refermer.

— Tu as à peine dormi la nuit dernière, Simon. Va te reposer.

— C'est bon, ça va aller.

21

Un petit garçon quitte la cour de son école en saluant ses camarades et s'engage sur le trottoir. Une voiture blanche vient se placer derrière lui et le suit à bonne distance. Le petit tourne le coin de la rue. Il est hors de portée de vue de l'école. À sa droite, des arbres bordent le trottoir et le cachent du reste du monde. À sa gauche se trouve une rangée de maisons. Aucun véhicule n'est garé dans les parages. Le long trottoir est désert. La voiture accélère, dépasse le bambin et s'arrête en douceur sur le bord du trottoir, à quelques mètres devant lui. Lorsque l'enfant arrive à la hauteur de la portière du côté passager, celle-ci s'ouvre et lui bloque le chemin. Surpris, le gamin se fige sur place et regarde à l'intérieur de la voiture. Il voit une main qui quitte le volant, descend sur le siège passager et ramasse une superbe sucette orange montée en spirale. La main la fait tourner entre le pouce et l'index.

— Tu la veux, Petit ? murmure l'homme au volant.

Paralysé par la peur, l'enfant n'ose pas se sauver. Il ne demande qu'à être rassuré et l'offre alléchante le réconforte. Il hoche la tête en signe d'assentiment et le chauffeur lui sourit à pleines dents.

— Tiens, Petit ! Prends-la, elle est pour toi !

Le garçonnet s'avance et tend son bras pour attraper la friandise. L'homme ramène doucement le bonbon plus près de lui pour forcer l'enfant à grimper dans le véhicule. La ruse fonctionne à merveille. Le temps de le dire, le petit se retrouve assis à côté du tentateur. L'homme entreprend alors la conversation pour mettre l'enfant en confiance.

— Comment t'appelles-tu, mon ange ?

— Je m...

Soudain, une main s'enfonce dans la voiture, empoigne l'enfant par son sac à dos et le soulève. Le bambin se met à hurler. Il est extirpé de la voiture aussi aisément qu'une chatte attrape ses bébés dans sa gueule pour les porter en lieu sûr. À peine les pieds au sol, le gamin s'enfuit à toutes jambes et disparaît dans la forêt. Un homme prend alors sa place dans le véhicule. Pétrifié, le chauffeur tente désespérément d'ouvrir sa portière. Dans sa panique, il n'arrive pas à sortir. L'intrus le saisit par la tête et lui brise la nuque d'un seul coup. Puis il couche le corps du chauffeur sur la banquette avant, verrouille les portières, sort du véhicule et quitte lentement les lieux.

22

Deux heures plus tard, Hagerstown…

Deux voitures de shérif et une ambulance sont garées derrière le véhicule de la victime, tous gyrophares scintillants. Trois voitures du FBI arrivent en trombe et s'arrêtent à leur hauteur. Jamison et Castelli sortent de leur voiture respective. Jarvis et Seward descendent de la troisième, une Caprice classique banalisée flambant neuve. Castelli fait signe aux deux étudiants de venir l'aider à sortir l'appareil photo, le magnétophone et tout le fourbi. Jamison se dirige vers le shérif qui discute avec un homme appuyé sur une voiture.

— Bonjour ! Craig Jamison du FBI. Shérif Bidman, je présume ? C'est vous qui nous avez appelés ?

— Oui. Hier, vous nous avez fait parvenir un avis demandant de vous signaler tout comportement pouvant être lié à un pédophile. Alors, comme le cadavre de cet homme a été retrouvé à deux pas d'une école, je me suis dit...

— Vous avez très bien fait, Shérif, je vous en remercie. Quelqu'un a vu quelque chose ?

Le shérif pointe du doigt l'homme aux bras croisés appuyé contre l'aile arrière de sa voiture.

— C'est lui qui nous a appelés. C'est un adjoint de Sharonneville, précise le shérif Bidman.

L'homme s'avance, la main tendue.

— Robert Conway, mais on m'appelle Bob.

— Craig Jamison. Enchanté, Bob.

— J'ai trouvé le corps et j'ai tout de suite appelé le shérif.

Jamison se tourne vers le shérif Bidman.

— Est-ce qu'on sait de qui il s'agit ?

Conway s'empresse de répondre avant même que le shérif n'ait pas le temps d'ouvrir la bouche.

— C'est un pédophile.

Seward est en train de sortir le matériel de la voiture de Castelli. Il reconnaît la voix de Conway et laisse tout en plan pour rejoindre Jamison. Jarvis le suit. Jamison présente les stagiaires au shérif Bidman, puis à Conway. Seward ne peut détacher son regard de l'imposant adjoint.

— Qu'est-ce que vous faites dans le coin, Bob ? Sharonneville n'est pas la porte à côté.

— Je passais par là, lui répond Conway d'un ton flegmatique.

— Ah oui, et pourquoi ?

— La victime, Ralph Lebb, est un récidiviste que j'ai coffré il y a quelques années. Il avait été condamné pour pédophilie et il en avait pris pour dix ans. Mais il n'a pas eu à finir sa peine, car il n'a jamais tué d'enfants. C'était un puéril. Durant son incarcération, il s'est plié à toutes les formes de traitements thérapeutiques que les psys voulaient expérimenter. Il s'est toujours porté volontaire, car il préférait être en laboratoire plutôt qu'en cellule. Tant et si bien que les chercheurs ont accepté de témoigner pour lui à la conditionnelle.

Seward monte le ton.

— Ah oui! Et pourquoi auraient-ils témoigné pour lui?

— Parce qu'il a accepté de se faire couper les couilles.

Jamison retrousse les lèvres et se tourne vers le shérif Bidman qui en fait autant.

— C'est notre homme!

Il s'élance vers sa voiture pour vérifier l'identité de la victime, pendant que Bidman accourt vers son adjoint qui lui fait signe de venir le rejoindre à l'arrière du véhicule de la victime. Jarvis reste avec Seward pour écouter la suite des explications de Conway.

— Il paraît qu'en dedans, on ne rigole pas avec ce genre d'individu. Il ne voulait plus retourner avec ses petits camarades de cellule.

Un deuxième adjoint du shérif arrive en voiture et s'arrête à la hauteur du groupe. Il sort de son véhicule et appuie ses mains sur le capot.

— Shérif, j'ai vérifié avec l'école, tous les enfants semblent être rentrés sains et saufs. Rien à signaler.

— Merci.

Jamison revient auprès de Castelli qui photographie le véhicule de la victime, à deux pas de Conway.

— Notre homme était ambidextre, célibataire et a bien fait de la prison pour pédophilie.

Castelli acquiesce d'un mouvement de tête. Il se penche à l'intérieur du véhicule pour examiner le cadavre.

— Il s'est fait briser le cou.

— Ils peuvent maintenant aller l'enterrer à côté de ses couilles, ajoute le shérif.

Seward poursuit son interrogatoire avec opiniâtreté.

— Et que faisiez-vous ici ?

— Je viens de te le dire, je l'ai toujours eu à l'œil, ce zigoto. Je n'ai jamais cru à toutes ces histoires de réhabilitation *béhaviorale* et de castration. Alors, de temps en temps, je venais fureter dans son coin.

— Où habitait-il ?

— Là-bas, juste en face de l'école.

— C'est vous qui avez rédigé le rapport sur le double meurtre de Sharonneville ?

— Oui, c'est moi. Le shérif disait que c'était urgent et, comme tu n'avais pas toutes les données pour le compléter et que tu étais déjà parti, je l'ai fait. On ne peut pas t'en vouloir, il y avait une pile monstre sur ton bureau.

— Ah oui. Et d'où vient-elle la description psychologique des deux femmes ? Le shérif n'a émis aucune note là-dessus.

— Parce que c'est toujours moi qui fais les descriptions des victimes d'après les dossiers et les photos. Le shérif a horreur de s'occuper de ça...

Conway lance un coup d'œil en direction de Jarvis.

— Eh, Ness, tu as lu le rapport, tu as vu les cadavres... tu en pinces toujours pour elle ?

— Quoi ? Espèce de salaud ! Tu crois que tu auras toujours le dernier mot ?

Seward saute au cou de Conway qui l'esquive. Jamison, Castelli et le shérif Bidman s'empressent de séparer les deux hommes avant que les coups ne pleuvent.

— Holà ! dit Jamison.

Castelli maintient les deux bras de Seward derrière son dos. Aveuglé par la colère, le stagiaire reprend de plus belle.

— C'est toi le meurtrier, c'est toi qui l'as tué hein, Bob ! Tu crois que tu vas t'en tirer toujours comme ça ? Tu crois que la mort de cette merde va te servir à enterrer tes crimes ?

Jarvis se colle contre Seward pour le retenir, car elle voit bien que Conway pourrait n'en faire qu'une bouchée. Ce dernier se laisse repousser par Bidman et Jamison sans opposer la moindre résistance. Le directeur du FBI, qui ne supporte pas les démonstrations publiques d'hystérie de la part d'un de ses hommes, est furieux.

— Seward, calmez-vous, c'est un ordre !

— Mais vous ne voyez pas que c'est lui ? Il était blessé à la jambe le jour du meurtre des deux femmes de Sharonneville. Aujourd'hui, il est arrivé le premier sur les lieux. Et le profil psychologique des victimes qu'il a tracé dans le rapport du shérif est identique à celui qu'il m'a fait l'autre jour à propos de Nicole, argue avec véhémence Seward, qui a perdu tout contrôle.

— Vous déraillez, j'ai lu ce rapport et la description des victimes ne ressemble en rien à celle de votre collègue, hurle Jamison pour s'assurer que tout le monde l'entende.

Le regard toujours rivé sur Seward, il s'approche de la jeune policière et lui murmure, les dents serrées.

— Jarvis débarrassez-moi de lui sur-le-champ, je ne veux plus le voir avant lundi.

— Oui, Monsieur, je m'en occupe. Allez viens, dit Jarvis d'un ton amical en prenant Seward par le bras.

Castelli relâche Seward et Jarvis le pousse en direction de leur voiture. Bidman jette un œil sur la cuisse droite de Conway.

— J'ai une barre à mine que j'utilise pour lever les grosses pierres sur mon terrain. Le sol était mouillé et j'ai glissé, lance le shérif adjoint sans y être invité.

À deux pas de là, Seward reprend peu à peu ses esprits, pendant que Jamison retourne s'enquérir de l'état de Conway.

— Tout va bien ?

— Oui très bien, merci.

— Il est jeune…

— Il est fougueux, on l'était tous à son âge… Excusez-moi, je n'aurais pas dû, le petit a cru que je voulais attaquer sa camarade… j'ai dit ça pour détendre l'atmosphère, se défend Conway.

— Ce n'est rien, oublions ça, rétorque Jamison.

— Il y a quelque chose qui m'échappe, il y a quelque chose qui m'échappe, murmure Seward en s'éloignant, escorté par Jarvis.

— Mais qu'est-ce que tu veux au juste ? Il n'y a aucun témoin de la scène ni aucune preuve de ce que tu avances. Tu es en train de foutre ta carrière en l'air, Simon. Qu'est-ce qui t'arrive ?

— Je l'ai fait exprès, Nicole. Je voulais coincer Bob, le forcer à réagir pour qu'il se révèle.

— Bravo, Simon, alors là, bravo ! Parce que pour ce qui est de réagir, on peut dire que Jamison a réagi.

— Merde ! ouvre-toi les yeux, Nicole ! Enfin quoi, le BSU nous envoie à la recherche d'un pédophile et le lendemain, bang, on le coince !

— Là, tu vas trop loin, Simon ! Comment veux-tu que Bob ait su qu'on recherchait un pédophile.

— Mais voyons ! Rien de plus simple. Jamison a envoyé hier en matinée un avis aux corps policiers des environs de Washington pour qu'ils collent au train de tous les pédérastes du pays. Bob fait partie de la police. Le shérif de Sharonneville, un contact ou je ne sais pas qui lui aura fourni l'information. Bon sang !

— Calme-toi, Simon, je…

— La fillette !

— Quoi ?

— La fillette de la famille des deux lesbiennes, personne ne l'a interrogée !

— Il y a le témoignage de la voisine… Tu as raison. On parle d'une fillette, mais personne ne l'a interrogée. Il n'y a aucune déposition.

— Où est-elle ?

— Je ne sais pas.

— Attends ! Dans le rapport du shérif, il était question d'un orphelinat.

— Ça doit être un orphelinat dans le coin de Sharonneville, mais c'est à plus d'une heure de route d'ici. Il se fait tard, les enfants risquent de dormir…

— J'y vais, je prends la voiture.

Jarvis hésite quelques secondes.

— D'accord. Je rentrerai avec Jamison ou Castelli, mais sois prudent et appelle-moi si tu trouves quelque chose. Et n'oublie pas que je me suis portée garante de toi. Hé! Fais gaffe à la bagnole, Jamison m'a fait une fleur en me signant le bon de sortie. Tu me la ramènes sans la moindre égratignure.

— Aucun problème! crie Seward en démarrant en toute hâte.

23

En route vers l'orphelinat…

Seward fonce sur l'autoroute en direction de l'orphelinat. Son portable se met à sonner. Il déniche l'objet dans la poche portefeuille de son veston et l'ouvre.

— Oui allo, Agent spécial Seward !

— Salut, Simon ! C'est Denis.

— Comment ça va ?

— Très bien merci. J'ai du nouveau pour toi.

— Vas-y, je t'écoute.

— J'ai reçu des résultats préliminaires de l'analyse des menottes, du fouet et des autres articles trouvés chez les Lucas Davis. Ils sont incomplets, mais comme tu m'as demandé de te téléphoner dès qu'il y aurait du nouveau, je n'ai pas hésité.

— Tu as bien fait, continue.

— Tu avais encore raison.

— Quoi !

— Il y avait une troisième personne qui participait aux jeux sexuels des deux femmes. On a trouvé du sang qui n'appartenait pas aux victimes.

— À qui alors ?

— Je n'en sais foutrement rien, Simon, c'est toi qui fais l'enquête, pas moi ! lui répond Robinson en riant.

— C'est bon, j'ai compris. Tu as raison.

— J'ai demandé à mon superviseur si l'on pouvait pousser plus loin l'analyse sanguine. Il m'a dit qu'il allait voir avec son chef. N'espère pas trop obtenir les résultats aujourd'hui, mais s'il y a d'autres éléments, on devrait le savoir avant le week-end.

— Merci Denis, merci beaucoup.

— De rien. On se rappelle.

Seward compose un nouveau numéro.

— Bureau du shérif de Sharonneville !

— Biff, c'est Simon Seward.

— Qui ?

— Ness. S'il te plaît, ne raccroche pas !

— Ness ! Comment vas-tu ?

— Bien, merci. Et toi ?

— Comme toujours. Qu'est-ce que je peux faire pour toi ?

— Est-ce que tu as eu des nouvelles de Bob ?

— Non, rien.

— Il n'aurait pas par hasard téléphoné hier ou ce matin ?

— Non… Peut-être qu'il a parlé au shérif. Tu veux que je m'informe ?

— Non, non, surtout pas ! Merci.

— Que je suis bête, de toute façon, il n'est pas là, il est sorti, mais je l'attends d'une minute à l'autre…

— Non, non, ça va aller comme ça. Merci. J'aurais besoin d'un petit service.

— Demande toujours !

— Dans le rapport du shérif sur le meurtre des deux femmes de vendredi, il est écrit que la fillette a été confiée à un orphelinat, mais il n'est fait mention nulle part de quel établissement il s'agit…

— Ça doit être à la maison Perkins. Ne bouge pas !

Biff consulte les dossiers empilés sur l'ancien bureau de Seward.

— J'ai trouvé, elle est bien à Perkins, c'est à vingt minutes au nord d'ici.

— Merci. Est-ce qu'il y a une nouvelle déposition ou d'autres développements ?

— Non. Seulement les témoignages de la voisine et de la fillette.

— La fillette ?

— Oui, enfin ce n'est pas tout à fait une déposition. Je lui ai parlé quand je suis arrivé sur les lieux. Elle m'a raconté qu'elle était revenue de l'école vers seize heures et avait retrouvé les deux femmes mortes dans la maison. Elle est ressortie aussitôt pour aller chercher du secours chez la voisine. Je ne lui ai rien demandé de plus, il s'agit d'une fillette encore sur les bancs de l'école. Tu comprends ce que je veux dire ?

— Oui, oui, je vois. Si j'ai de la chance, elle ne sera pas déjà placée en famille d'accueil.

Biff ricane à l'autre bout du fil.

— Il n'y a pas de danger !

— Comment ça ?

— À Perkins, on ne donne pas les enfants en adoption. D'après la rumeur, quand on y entre, c'est pour la
vie. Les enfants font partie de « la grande famille », sous
la protection du directeur-fondateur lui-même.

— Quoi, c'est une secte ?

— Je ne sais pas trop. Je n'ai jamais eu à y mettre
les pieds.

— Ouais, d'accord… Oh ! Je voulais te remercier
pour le bon mot que tu as dit pour moi à Jamison.

— Ce n'est rien ! On a tous besoin d'un petit coup
de pouce un jour ou l'autre. Je dois te laisser, le shérif
arrive !

*

* *

19 h 40…

Après avoir parcouru les rues de la ville, Seward
arrive enfin devant l'immense domaine de l'orphelinat
Perkins. Il s'arrête devant le portail et appuie sur le
bouton de l'interphone.

— Bienvenue à la maison Perkins. Que puis-je pour
vous ? lui répond une voix feutrée.

— Bonjour. Je suis l'agent spécial Simon Seward du
FBI. Je voudrais interroger une de vos pensionnaires.

— Un instant, s'il vous plaît.

Quelques secondes plus tard, l'employée revient.

— Je regrette, Monsieur, votre nom n'apparaît pas sur ma liste des personnes attendues ce soir. Je suis désolée…

— Attendez, s'il vous plaît, Madame ! C'est très important et je n'en aurai que pour quelques minutes.

— Veuillez patienter.

Seward lève les yeux et voit une inscription en forme de demi-cercle qui surplombe les immenses grilles en fer forgé : *Ici les enfants ne pleurent jamais.* Il entend le son d'une porte télécommandée et engage son véhicule entre les lourds battants qui s'ouvrent devant lui. Il avance lentement dans l'immense allée bordée d'arbres. Des enfants s'ébattent sur une superbe pelouse devant le somptueux bâtiment. Deux surveillantes dévisagent Seward. Il détourne son regard vers le porche où une vieille dame se berce paisiblement au rythme des rires des enfants. À côté d'elle se tient un chauffeur en livrée, un véritable colosse qui n'a pas envie de rigoler. Tout comme les autres, il surveille attentivement cet étranger qui arrête sa voiture devant l'entrée. Seward a tout juste le temps de sortir de son véhicule qu'une femme vêtue d'un tailleur sorti tout droit d'une grande maison de couture parisienne s'avance pour l'accueillir.

— Michelle Darc, que puis-je faire pour vous, Monsieur…

— Agent spécial Simon Seward du FBI. J'enquête sur un double meurtre qui a eu lieu vendredi dernier à Sharonneville…

— Oui, j'en ai entendu parler. En quoi puis-je vous être utile ?

— Vous avez ici la petite Julie Davis, je crois ?

— Oui, elle est ici. Voulez-vous passer à mon bureau ?

— Non merci, la soirée est trop belle… J'aimerais savoir si elle vous a parlé de quoi que ce soit qui pourrait être utile à l'enquête. S'est-elle confiée à vous ? À cet âge, les enfants ont parfois des secrets.

— Non, elle ne m'a rien dit, je suis désolée. Cependant, je peux appeler sa monitrice. Peut-être qu'elle sera mieux en mesure de vous aider.

— Merci.

Madame Darc interpelle une des surveillantes qui s'empresse aussitôt.

— Oui, Madame Darc ?

— Madame Seegers. L'officier Simon Seward du FBI aimerait vous poser quelques questions sur la petite Julie Davis.

Seward s'avance et serre la main de la monitrice.

— Enchanté, Madame Seegers.

— Que puis-je pour vous ?

— La petite Julie vous aurait-elle fait une confidence sur le drame qui a eu lieu chez elle ?

— Non, pas du tout. Vous savez ici, on ne questionne jamais les enfants. S'ils veulent nous parler, ils peuvent le faire bien sûr. Mais nous avons un psychologue qui les rencontre et qu'ils peuvent voir à la demande.

— Puis-je rencontrer cet homme ?

— Malheureusement, il n'est pas ici pour l'instant. De toute façon, la petite Julie ne l'a pas encore rencontré. Il ne vous serait d'aucune utilité.

— En effet, je vous remercie. Pourrais-je m'entretenir quelques minutes avec la petite en tête-à-tête ?

Madame Seegers regarde en direction de Madame Darc.

— Bien sûr, elle est là-bas, elle joue au ballon avec ses nouveaux amis. Madame Seegers, pouvez-vous aller la chercher, s'il vous plaît ?

— Avec plaisir.

Madame Seegers se dirige vers le groupe d'enfants. Seward attend, les mains dans les poches, pendant que Madame Darc le regarde. Les deux échangent un sourire poli sans que personne n'engage la conversation. Madame Seegers revient enfin en tenant la petite fille par la main.

— Julie, je te présente l'inspecteur Seward, c'est un policier. D'accord ?

La fillette est radieuse et semble contente d'être à l'orphelinat. Elle hoche la tête de haut en bas. Madame Seegers poursuit.

— Il a des questions à te poser sur ta maman. Tu n'es pas obligée de lui répondre, mais si tu l'aides, il va pouvoir mieux réussir son travail. Madame Darc et moi resterons juste là, sous le porche. Si tu as besoin de quoi que ce soit, tu n'auras qu'à nous faire signe.

Les deux femmes s'éloignent et laissent Seward en compagnie de la petite. Il s'accroupit pour se mettre à sa portée.

— Salut, Julie. Moi, c'est Simon. J'aurais une ou deux questions à te poser… Tu veux bien ?

La fillette lui fait signe que oui.

— L'autre jour, lorsque tu es revenue de l'école, est-ce que tu aurais vu quelqu'un qui était dans ta maison ou qui en sortait ? Concentre-toi bien, c'est important.

— Non, Monsieur, il n'y avait personne.

— À part Madame Lucas, est-ce que ta mère avait des amis qui venaient parfois à la maison, le jour ou le soir, pour s'amuser ensemble?

La fillette fait signe que non.

— Ou peut-être le soir quand tu dormais? Tu n'as jamais vu les amis de ta maman?

— Non, Monsieur.

— Est-ce qu'un policier serait venu à la maison dernièrement?

La fillette fait encore un signe négatif de la tête.

— Une dernière question. Est-ce que tu aurais vu ta mère ou son amie être beaucoup fâchées en parlant au téléphone ou en lisant une lettre?

— Elles étaient toujours fâchées!

— Contre qui? lance vivement Seward.

— Elles disaient qu'elles n'aimaient pas recevoir des factures.

Seward sourit et baisse les yeux.

— D'accord, Petite, merci, tu as été très gentille.

Il lui donne une poignée de main et remarque une longue cicatrice toute fraîche sur son poignet droit.

— Qui t'a fait ça?

Le visage de la fillette se crispe.

— Personne, je suis tombée.

— Tu es sûre?

La fillette fait un signe affirmatif de la tête.

— Allez, va jouer.

La petite repart aussitôt vers ses amis en courant. Seward se relève et se dirige vers les deux femmes qui discutent. En voyant le jeune homme s'avancer, la monitrice entre dans le bâtiment et Madame Darc se dirige vers lui. Tous deux se rencontrent à mi-chemin de la route en demi-cercle, devant l'entrée du domaine. Seward est frustré de n'avoir rien trouvé. Son enquête piétine.

— Je viens de voir une marque sur l'avant-bras de la fillette. Est-ce ici qu'elle s'est fait ça ? lance-t-il d'un ton accusateur.

— Monsieur l'Agent ! Elle est peut-être tombée. Ici, personne ne touche aux enfants. Vous n'avez probablement pas dû remarquer notre devise à l'entrée, bien qu'elle soit assez visible, me semble-t-il. *Ici les enfants ne pleurent jamais*. Notre bienfaiteur fondateur, qui est toujours d'ailleurs le directeur de l'établissement, est très strict sur ce point. Et nous défendons tous ardemment ce principe, lui répond-elle, outrée.

— Où est allée Madame Seegers ? J'aurais deux mots à lui dire.

— Madame Seegers a dû nous quitter, je suis désolée.

— Vous êtes un orphelinat. Alors comment se fait-il que le mot orphelinat ne soit inscrit nulle part ?

— En fait, cela est peut-être un peu long à vous expliquer…

— J'ai tout mon temps, relance Seward sans délicatesse.

— Je vous emmènerais bien dans les considérations juridiques qui font de notre établissement un orphelinat, Officier. Mais j'ai peur de ne pas très bien maîtriser moi-même toutes ces subtilités et je ne voudrais pas vous induire en erreur…

— Des gens viennent bien ici pour adopter les enfants dont l'État vous a confié la garde ? poursuit Seward.

— Pas exactement… En fait, vous avez raison d'une certaine manière.

— Je ne comprends pas.

— Les enfants qui désirent rester parmi nous peuvent le faire tant et aussi longtemps qu'ils le souhaitent. Nous sommes parfaitement autonomes, vous savez, nous avons tout ce qu'il faut pour élever correctement ces petits. Nous possédons le statut d'orphelinat grâce à une religieuse qui, jadis, nous a permis d'acquérir cette appellation légale. Mais en réalité, nous formons plutôt une grande famille d'accueil financée quasi entièrement par notre généreux bienfaiteur, le professeur Neumann.

— Mais ces enfants ont tout de même une famille, même éloignée. Des cousins, oncles, tantes ou autres doivent vouloir les reprendre, les adopter…

— Notre fondateur est un milliardaire et il a de très bons contacts en haut lieu. Alors si quelqu'un tente de s'approprier la garde d'un de nos enfants sans le consentement de cet enfant, il doit composer avec les avocats de notre orphelinat. Et jusqu'à ce jour, nous n'avons jamais perdu un seul d'entre eux par une ordonnance de la Cour. Et aucun enfant n'a encore manifesté le désir de quitter notre grande famille.

— Est-il possible de rencontrer votre directeur ou faut-il s'adresser à ses avocats ?

— Ne soyez pas insolent, Monsieur Seward. Malheureusement, il n'est pas ici en ce moment. Par contre, je ne manquerai pas de lui faire part de votre visite. Soyez-en assuré... Maintenant, si vous n'avez pas d'autres questions concernant notre petite Julie...

— Non, merci beaucoup.

Seward comprend qu'il ne soutirera plus rien de son interlocutrice. L'administratrice avait plus d'un tour dans son sac. Elle avait été recrutée, il y a une dizaine d'années déjà, par un chasseur de têtes qui avait eu pour mandat de trouver une personne capable de redresser l'administration de l'établissement. Lorsqu'elle avait passé l'entrevue, Neumann avait tout de suite senti qu'ils avaient des atomes crochus et avait compris que c'était elle et personne d'autre qu'il lui fallait. Mère de famille et directrice régionale d'une des plus prestigieuses firmes comptables de la côte Est américaine, Neumann avait dû payer le prix fort pour obtenir ses services. Il lui avait donné carte blanche pour administrer la maison Perkins. Elle redressa d'une main de maître les finances de l'orphelinat, tant et si bien que Neumann en ouvrit trois autres à travers le pays, tous supervisés par Madame Darc.

— Comment fait-on pour joindre Monsieur Neumann ? reprend Seward d'un ton plus amène.

Madame Darc sort une carte professionnelle de sa poche et la lui tend.

— Tenez ! Appelez à ce numéro, sa secrétaire se fera un plaisir de vous fixer un rendez-vous.

— Tenez, prenez la mienne. Si vous avez du nouveau à me confier, n'hésitez pas à m'appeler, c'est mon numéro de portable.

— Je n'y manquerai pas, Agent spécial.

Madame Darc consulte sa montre. Elle indique vingt heures passées. Elle sort un sifflet de sa poche et se retourne vers les enfants pour leur signifier qu'il est l'heure du souper. Dans cet établissement, on éduque les futures grandes personnes au savoir-vivre européen.

24

Vendredi matin...

Seward se réveille épuisé. Il se lève et erre comme une âme en peine dans son appartement. Jamison l'a bien prévenu qu'il ne voulait plus le voir avant lundi. Ce vendredi de congé lui est imposé et il se dit qu'après tout, ça lui donne un jour de plus pour étudier toute cette histoire. Il ramasse son portable, tente de joindre Jarvis, mais tombe sur sa boîte vocale. Il lui laisse alors le message qu'il s'est rendu à l'orphelinat la veille, qu'il est bien rentré chez lui et qu'il y passerait la journée. Il en profiterait pour écrire un rapport sur son passage à la maison Perkins. Il raccroche et enfonce son appareil dans la poche de sa robe de chambre, car si Jamison ou Jarvis tentent de le joindre, il a intérêt à décrocher au plus vite. Il s'empare du dossier que Jarvis lui a remis quelques jours auparavant, s'assoit à sa table de cuisine et s'y plonge.

*
* *

Université de Boston, en après-midi…

Neumann est dans une forme splendide et attaque son cours avec fougue.

— Aujourd'hui, nous allons démontrer, à travers un cas vécu, à quel point la maturité doit sous-tendre toute notre action si nous voulons corriger les comportements névrotiques de notre société et qu'à elle seule, la recherche du plaisir narcissique peut anéantir tous vos efforts. Vous avez probablement entendu parler du cas du petit Hans qui a rendu Freud célèbre.

Neumann balaie sa classe du regard.

— Combien d'entre vous peuvent me dire ce que cette étude a permis de démontrer ?… Personne ? D'accord.

Neumann se retourne vers le tableau et écrit.

— *Pulsion de reproduction, Œdipe, vérité, refoulement, efficacité, maturité.* Je vais vous raconter l'histoire du petit garçon et nous reviendrons sur ces six points fondamentaux autour desquels s'articulent tout le développement des individus et de la société.

— Né à Vienne en 1903, Hans est le fils de Max Graf et d'Olga König. Élevé dans la bourgeoisie, cet enfant à l'esprit vif est gentil, franc, amical et combatif. Dès l'âge de quatre ans, il exprime à la fille du propriétaire,

Mariedl, son désir de coucher avec elle pour avoir des enfants. De plus, il passe des après-midis complets assis sur le perron, dans l'espoir de voir passer une petite fille à son retour de l'école. Complexe d'Œdipe oblige !

Les élèves se mettent à rire. Neumann reprend.

— Qui peut me dire à quoi sert le complexe d'Œdipe ? Personne ?… Allons, ne soyez pas timides !

Devant le silence de la classe, Neumann poursuit.

— Le complexe d'Œdipe sert exclusivement à développer les comportements sexuels de l'enfant en prévision de sa reproduction à l'âge adulte. Ce complexe n'est pas uniquement orienté vers la mère. Mais qui peut me dire pourquoi les petits garçons centrent habituellement leur libido sur celle-ci ?

Les étudiants restent étrangement silencieux.

— Ils le font pour deux raisons fondamentales. La première consiste en l'absence d'autres femmes nubiles et accessibles autour d'eux et la seconde, au fait que la mère connaît les méthodes de reproduction puisqu'elle a déjà eu des enfants. Voilà pourquoi nombre de petits garçons de cet âge souhaitent la disparition de leur père pour prendre leur place. Le complexe d'Œdipe est donc essentiellement au service de la reproduction.

Il souligne *pulsion de reproduction.*

— Il n'y a là rien de bien sorcier, et pourtant Freud a failli se faire jeter au bûcher pour moins que cela à l'époque.

Les élèves éclatent de rire.

— Voilà pour l'état mental et physique du petit Hans avant l'âge de cinq ans, année où il est frappé de troubles sévères du comportement. Hans se met à avoir d'affreux cauchemars, éprouve des désirs meurtriers, du dégoût et de la honte envers les bébés, pleure dès qu'il s'éloigne de sa mère et joue compulsivement avec son pénis. Puis soudainement, il manifeste des symptômes pathologiques à la vue d'un cheval. Le père consulte alors le docteur Freud. Ce dernier constate que le petit Hans souffre de névrose phobique et d'angoisse de castration. Mais plus encore, il comprend que le petit désire ardemment sa mère. Freud peut alors, pour la première fois, observer de façon pratique le complexe d'Œdipe en pleine action. Qui dit mieux !

Les élèves sourient poliment. Neumann leur laisse un moment de répit et enchaîne.

— Freud entreprend immédiatement l'analyse du petit par l'intermédiaire du père qui lui rapporte régulièrement les faits et gestes de Hans. Il ne fait donc pas directement l'analyse du garçonnet. Il collige les données à partir des textes de Max Graf à propos de son fils. Après quelques mois de thérapie et une rencontre avec Hans, il est fin prêt à conclure. L'anxiété et la phobie de Hans commencent à disparaître lorsque Freud lui avoue connaître ses désirs érotiques refoulés envers sa mère et meurtriers envers son père qui, pense le petit garçon, veut l'éliminer à cause de ces désirs. Il lui explique également que ses pleurs et sa phobie des chevaux ne lui servent qu'à rester seul avec sa mère, et il lui assure que personne ne lui coupera son pénis pour autant.

Eurêka ! Freud détient enfin un exemple vivant du complexe d'Œdipe en pleine castration. Il crie à la réussite et rédige son article qu'il publie en 1909 dans

Analyse d'une phobie chez un petit garçon de 5 ans, le petit Hans.

Neumann se retourne et pointe du doigt le mot *Œdipe* inscrit au tableau.

— Freud prétend dans son article que le petit a pu s'exprimer librement parce qu'il a été élevé loin de toute intimidation… Tout cela est fort bien, mais n'explique en rien l'apparition d'une phobie chez l'enfant, car cette période ne doit normalement occasionner aucun traumatisme. Il nous faut donc relire attentivement les comptes rendus de Max Graf que Freud a insérés dans son rapport. Nous découvrons alors une toute nouvelle dimension. Freud est un petit bonimenteur…

Neumann montre sa réprobation en bougeant son index de gauche à droite devant la classe subjuguée.

— Ce grand psychanalyste n'utilise pas tous les faits dont il dispose pour mener à bien son analyse, car elle est empreinte de préjugés favorables à l'endroit des Graf. Or, la maladie mentale n'apparaît pas comme par magie ! Si cet enfant souffre de phobie alors qu'il est normalement constitué et qu'il n'est atteint d'aucun trouble organique, il y a donc une cause environnementale.

Voyons de plus près ce que peuvent nous apprendre les comptes rendus de Max Graf. Il y est mentionné qu'à l'âge de trois ans et demi, Hans est surpris jouant avec son pénis par sa mère. Elle le menace alors de le lui faire couper par un docteur. Il n'en faut pas plus pour déclencher chez un petit garçon une phobie de la castration.

Comme si cela ne suffisait pas, lorsque Hans demande à sa mère pourquoi elle ne touche jamais à son pénis lorsqu'elle l'essuie au sortir du bain, celle-ci lui répond : « parce que c'est une cochonnerie ! » Elle le menace régulièrement de le quitter pour toujours ou de le noyer dans la baignoire. Elle va même jusqu'à le frapper avec une badine. Toute une maman gâteau, n'est-ce pas ? Olga m'apparaît plus comme une horrible marâtre que comme la mère indulgente et pleine d'attention que se plaît à présenter Freud.

De plus, chaque fois que Hans signale à son père que sa mère le maltraite, ce dernier prend parti pour sa femme et dit qu'il a dû la provoquer. Le père n'assume aucunement son rôle de protecteur.

Et voilà qu'en 1906 la cigogne frappe à la porte. Hans se retrouve frère aîné de la petite Hanna. Il demande alors tout bonnement à ses parents d'où elle vient. Les Graf tentent de faire croire au petit que les enfants proviennent des cigognes, au lieu de lui enseigner la vérité comme le prône la psychanalyse dont ils se targuent pourtant d'être des disciples. Hans ne croira pas cette légende : comme tous les enfants, il pressent la vérité sur la sexualité.

Neumann se retourne et souligne *vérité*.

— La vérité est indispensable à l'enfant pour deux raisons : elle lui confirme son acceptation dans la société et elle lui permet de développer pleinement son potentiel intellectuel. Si on lui enseigne la vérité et qu'on le traite bien, il ne développera aucun refoulement.

Neumann pointe *refoulement* au tableau.

— Voilà ce que nous révèle l'histoire de la famille Graf lorsqu'on y regarde de plus près. Nous sommes maintenant en mesure d'établir quelle est la véritable origine de la phobie névrotique de Hans. Elle ne provient nullement d'un désir sexuel envers la mère ni de la peur du père lors du complexe d'Œdipe, comme le pontifie Freud. Cette interprétation aurait été exacte si l'enfant n'avait pas été martyrisé. Mais la réalité est malheureusement tout autre. La mère de Hans est à l'évidence manipulatrice, méchante, agressive et castratrice. Si le petit Hans pleure fréquemment, c'est qu'il a peur qu'elle mette ses menaces à exécution. Sa frayeur du cheval n'est donc pas une excuse pour rester seul avec elle, comme stipulé dans la publication du grand homme. Quelle ineptie ! Un enfant sain encore tout près de ses instincts ne désire pas copuler avec son bourreau.

Neumann reprend son souffle.

— Nous sommes donc en mesure de constater que la phobie de Hans provient uniquement des mauvais traitements psychologiques et physiques que ses parents lui ont fait subir. Si ce n'avait été de la tyrannie de la mère et de la mollesse du père, le petit Hans aurait pu traverser son Œdipe sans problèmes.

Mais pourquoi Freud ne discerne-t-il pas le véritable problème et offre-t-il une analyse si édulcorée ? Parce qu'en fait, notre analyste poursuit deux visées personnelles. La première vient du fait qu'il éprouve des désirs amoureux envers la mère du petit Hans qu'il qualifie ouvertement de « jolie maman ». Freud a du mal à cacher les fantasmes qu'elle lui inspire. Taire la violence dont elle fait preuve envers son fils devrait lui rapporter quelques privilèges sexuels, pense-t-il… La seconde découle de sa volonté de ne pas brusquer le couple afin d'obtenir leur accord pour la publication des notes du père portant sur l'évolution de Hans qui représente le premier cas clinique de l'histoire du complexe d'Œdipe.

Voilà les obscures motivations de notre thérapeute qui déposséda le petit garçon de son droit à une franche psychanalyse ! Pour que son analyse soit pleinement *efficace*, Freud aurait dû se dégager de tout intérêt personnel.

Neumann inscrit au tableau *efficacité*. Il laisse s'écouler un long moment avant de poursuivre.

— Freud n'a en fait que recherché son plaisir narcissique. Il n'a certes pas fait preuve de maturité pour mener à bien cette analyse. C'est là une bien curieuse façon d'aider son patient, n'est-ce pas ? La maturité du thérapeute ! La maturité du thérapeute ! Voilà la clef !

Neumann repasse sa craie sur le mot *maturité* pour bien mettre l'accent sur cette qualité indispensable.

— La présence d'une mère aimante et attentionnée de même que celle d'un père protecteur qui enseigne les limites à l'enfant sont primordiales pour éviter l'apparition de symptômes névrotiques, car elles constituent le Surmoi, l'autorité et la morale sociale qui permettent à l'enfant d'inhiber ses désirs sexuels et de se concentrer sur son propre développement.

Voilà pour l'histoire du garçon. Vous savez, un père faible, une mère psychopathe et un analyste amoureux de la mère de son client auraient pu conduire le petit Hans à devenir un monstre. La violence attire la violence. Mais, heureusement pour tous, ça ne semble pas avoir été le cas. Avez-vous des questions ?

Les étudiants sont captivés, mais le temps alloué pour le cours est écoulé. Neumann jette un coup d'œil sur sa montre.

— Le temps passe vite. J'ai tellement de plaisir à raconter cette histoire que j'en oublie toujours l'heure. Au cours de la session, je reviendrai sur les six points écrits au tableau. Pour ceux d'entre vous qui ne peuvent attendre aussi longtemps et que la soif du savoir dévore, vous pourrez trouver le reste de cette analyse dans mon livre au chapitre huit qui s'intitule *Des études de cas*.

Je vous souhaite un bon week-end… Attendez ! J'allais oublier. Je ne serai pas là lundi, il n'y aura donc pas de cours. Je dois me rendre à Rio pour l'inauguration d'un nouvel orphelinat. On se reverra alors vendredi prochain à quinze heures. D'ici là, faites attention à vous !

Neumann aperçoit Elizabeth la main levée.

— Oui, Mademoiselle McGill ?

— J'aimerais m'adresser au groupe si vous le permettez, Monsieur.

— Faites donc, Mademoiselle !

Neumann lui offre sa place. Elizabeth monte sur la petite estrade.

— Je vous rappelle que l'initiation aura lieu demain. Ce soir, le comité se réunira pour les derniers préparatifs au musée de Salem, là où se déroulera la fête. Nous allons maintenant dévoiler le thème. Lucy, s'il te plaît !

Lucy tient une enveloppe dans ses mains. Dans une mise en scène digne de Broadway, elle se dirige solennellement vers l'avant de la classe, fait sauter le cachet et en sort le carton qu'elle brandit au-dessus de sa tête.

— La sorcellerie !

25

Vendredi soir, 23 h, musée des Sorcières de Salem, Massachusetts…

Les quatre inséparables organisatrices sont réunies au centre du musée. Assises en cercle par terre, elles discutent des derniers préparatifs de la journée d'initiation. On aperçoit encore ça et là de l'équipement d'entretien, de même qu'un échafaudage au-dessus de la porte d'entrée. Mais le responsable a promis à Elizabeth que le centre d'interprétation serait nettoyé avant le début des festivités. Dehors, la pluie tombe à verse et les éclairs illuminent la statue de Roger Conant, le fondateur de la ville qui surveille les âmes gravitant autour de son enceinte. Elizabeth ne peut s'empêcher de penser à l'époque où Salem entra dans l'histoire.

— Oh, que c'est excitant, on se croirait en plein film d'horreur !

La statue de Roger Conant

Lucy et Catherine se mettent à rire, mais Ali n'a pas le cœur à la fête. Dans un geste invocatoire, Elizabeth lève les bras en V.

— Si le diable fait en sorte que Blair Dexter enfonce sa langue dans ma bouche trente secondes, je veux bien être damnée !

Les trois acolytes s'esclaffent quand, soudain, un formidable coup de tonnerre éclate. Leurs rires se muent en hurlements. Elles se rapprochent les unes des autres, sauf Ali qui ne partage pas leurs jeux. Ne supportant pas la moindre forme de dissidence, Elizabeth l'interpelle.

— Eh, Ali ! Qu'est-ce qui ne va pas ?

— Rien.

— Comment ça rien ! Tu ne t'amuses pas avec nous ?

— J'ai fait un cauchemar.

— Quoi ! Raconte, demande Elizabeth, avide.

— Oui, oui, raconte ! implorent les trois filles en quête de sensations fortes.

— Non.

— Raconte, raconte ! scandent les filles en chœur.

— D'accord ! cède finalement Ali.

Après une saccade de rires nerveux, les auditrices attendent la suite dans un silence solennel.

— J'ai rêvé que j'étais attachée à un arbre et qu'on voulait me couper la tête avec une hache. J'entendais plein de rires autour de moi. Je hurlais de toutes mes forces quand une fille m'a prise par la main et m'a libérée. Je me suis enfuie avec elle dans la forêt. Au bout d'un moment, je n'en pouvais plus de courir, mais l'inconnue me tirait toujours en criant : « Plus vite ! Plus vite ! » J'étais exténuée et je voulais juste qu'elle se retourne pour la remercier. J'ai freiné brusquement et je l'ai tirée à mon tour par le bras pour qu'elle s'arrête. Elle est tombée à genoux. Je l'ai contournée pour voir son visage, mais sa chevelure épaisse m'empêchait de voir qui était cet ange qui venait de me sauver la vie. Je lui ai relevé doucement la tête. Son regard était doux et elle affichait un sourire épanoui. Elle me rappelait quelqu'un. Soudain, son corps a disparu, mais sa tête était toujours entre mes mains. C'est alors que j'ai reconnu Jennifer...

— Tais-toi ! crie Elizabeth en se levant d'un bond.

— Du sang coulait partout, j'en avais plein les mains. J'aurais bien voulu la lâcher, mais je ne voulais pas la déposer par terre, car elle me souriait toujours. Alors, je me suis mise à hurler.

— Tais-toi, j'ai dit ! répète Elizabeth d'un ton oppressé.

Ali se relève en larmes, les mains en coupole comme si elle tenait la tête de Jennifer.

— Qu'est-ce que tu as ? Tu as des problèmes de conscience ? C'est ça ? Hein... c'est ça ? la fustige Elizabeth.

— Oui, c'est ça ! s'exclame Ali.

Sans crier gare, Elizabeth lui assène une gifle.

— Tiens, espèce de pleurnicharde ! Ça va mieux maintenant ? Qu'est-ce qui t'arrive, tu ne vas pas te mettre à craquer ? hurle-t-elle.

— Vous n'avez pas remarqué comment Neumann nous regardait cet après-midi. On aurait dit qu'il savait qu'on avait des choses à cacher.

— Arrête, espèce de conne! Il ne sait rien du tout. Il serine les mêmes conneries depuis des années. Tu ne vois pas qu'il n'a même plus besoin de consulter ses notes tellement il les connaît par cœur. Il a dû répéter sa rengaine des milliers de fois. Ça n'a rien de personnel! explique Elizabeth en fulminant.

— Et son histoire de petit garçon, Hans, que sa mère battait, il aurait pu devenir fou en vieillissant. La violence attire la violence, a dit Neumann... Je ne veux pas vivre dans un monde comme ça. Si l'on n'avait pas bousculé Jennifer dans les vestiaires... Non, non, je crois qu'on devrait tout raconter à la police, implore la repentante.

— Tu rigoles! Tu veux qu'on fasse de la prison parce que Madame a fait un petit cauchemar, s'époumone Elizabeth.

Les autres filles ricanent pour montrer leur solidarité envers Elizabeth. Mais Ali reste inconsolable.

— Ce n'est pas un petit cauchemar, je rêve à ça toutes les nuits depuis qu'on l'a tuée!

— Quoi! s'insurgent Lucy et Catherine d'une même voix.

Folle de rage, Elizabeth empoigne Ali par les cheveux. La pauvre fille n'offre aucune résistance.

— Écoute-moi bien, espèce de demeurée! Si tu as des problèmes de cervelle parce qu'un prof idiot rêve d'un monde meilleur, c'est tes affaires! Mais lorsque tu jacasses sur la mort de cette pétasse de Robert, là ça nous concerne toutes, et de toute façon, si je me rappelle bien «Madame je suis bourrelée de remords», Jennifer c'était ta *coloc*, c'est toi qui nous as ouvert la porte de sa chambre et c'est toi qui lui as caché ses vêtements à ta pauvre Jennifer! raille Elizabeth. Et qui nous a donné l'épingle pour déverrouiller la serrure de la salle de bains? C'est encore toi. N'est-ce pas les filles?

— Tout à fait! répondent en chœur Lucy et Catherine qui ont choisi leur camp.

— Oh! Ma pauvre Ali, il semblerait que tu vas devoir t'arranger toute seule avec tes petits problèmes de conscience, se moque Elizabeth d'un ton méprisant.

— J'ai…

Elizabeth ne lui laisse pas finir sa phrase et lui bascule la tête vers l'arrière.

— Quoi?… Je t'ai coupée? Tu as quelque chose à rajouter? demande Elizabeth en collant son nez sur le visage d'Ali.

— Oui… Vous êtes vraiment folles!

Ali décoche un coup de coude dans l'estomac d'Elizabeth qui lâche prise. Elle tente de se faufiler entre les filles, mais Lucy l'attrape par une cheville et Ali s'écroule. Catherine et Lucy se jettent sur elle et la maîtrisent, face contre terre. Pliée en deux, Elizabeth les rejoint péniblement.

— Tenez-la bien! La salope, elle va me payer ça!

La chipie dénoue le lacet d'une des chaussures d'Ali et lui ligote les mains dans le dos.

À l'extérieur, un inconnu gare sa voiture dans la rue, non loin de l'imposante statue du fondateur de la ville.

L'individu en imperméable ciré, le visage caché dans son capuchon, sort du véhicule et se dirige furtivement vers le musée sous une pluie battante. Il se rend jusqu'à la porte centrale et tourne lentement la poignée, mais la porte est verrouillée de l'intérieur. Il fait alors le tour de l'édifice.

À l'intérieur, Elizabeth s'en donne à cœur joie. Elle assène un coup de pied, puis un second, dans le ventre d'Ali toujours clouée au sol.

— Tiens, prends ça, pauvre conne ! Tu veux toujours aller voir la police ?

Lucy maintient Ali de toutes ses forces, bien que cette dernière ait cessé de se débattre.

— Qu'est-ce qu'on fait d'elle maintenant ?

— Je ne sais pas. J'ai vu un type à la télé qui jouait avec ses victimes avant de les déguster avec sa propre recette de sauce barbecue ! jubile Elizabeth.

Les trois bourreaux éclatent de rire nerveusement.

— J'ai de la corde dans le coffre arrière de la voiture, propose Catherine.

— Ça, c'est une idée ! On est à Salem, alors pendons-la, s'écrie Elizabeth.

— Ouais, c'est ça ! réplique Lucy en admiration devant sa malicieuse copine.

Catherine court chercher les clefs de la voiture dans son sac à main, puis fouille fébrilement dans celui d'Elizabeth. Elle trouve enfin les clefs du musée et se précipite vers la sortie.

— Je vais chercher la corde !

Elizabeth s'assoit par terre et soulève la tête d'Ali par les cheveux.

— Tu vois, je crois que tu as trop parlé. Ici, on sait comment s'occuper des vilaines petites filles qui ont une langue de sorcière.

Ali commence à saisir toute l'horreur de sa situation et se débat.

— Vous n'allez pas faire ça ? Lâchez-moi ! Lâchez-moi ! Non ! Vous n'avez pas le droit !

— C'est ce qu'on va voir, réplique Elizabeth en lui caressant les cheveux.

Catherine sort sous la pluie et la lourde porte se referme bruyamment derrière elle. Elle court jusqu'à la voiture, ouvre le coffre, s'empare de la corde et se retourne, lorsque la foudre illumine brusquement la statue de Roger Conant. La jeune fille terrorisée fait un bond en arrière. Elle se secoue, referme le coffre et part en courant vers le musée. Elle sort sa clef, déverrouille la porte et rentre en brandissant une longue corde de nylon ruisselante de pluie.

— Je l'ai !

Ali se démène de plus belle. Lucy peine à la retenir. Catherine tend la corde à Elizabeth et court lui prêter main-forte. Elizabeth fait un nœud coulant et passe la corde autour du cou de la prisonnière.

— Où va-t-on la pendre ?

Catherine inspecte le plafond des yeux.

— À une poutre là-haut.

— Mais comment vais-je faire pour aller passer la corde là-haut ? s'écrie Elizabeth, irritée de ne pas savoir comment s'y prendre.

— J'ai vu une échelle à l'arrière, dit Lucy.

Elizabeth resserre la corde autour du cou de sa victime et file chercher l'échelle. Elle la hisse sur une des poutres et grimpe les barreaux en tenant la corde d'une main. Elle la lance par-dessus l'énorme madrier, saisit l'extrémité qui pend, tend la corde et se l'attache autour de la taille.

— Lâchez-la ! hurle Elizabeth en redescendant.

Les deux filles libèrent Ali qui est soulevée de terre. Son corps se balance entre ciel et terre et ses pieds battent l'air. Elizabeth atterrit, défait le nœud qui lui enserre la taille et les trois filles fixent la corde sur une barre de fer forgé au fond du musée. Elizabeth est en extase devant le spectacle.

— Bye-bye, Judas ! s'exclame-t-elle en courant s'installer directement sous sa victime.

Les filles éclatent de rire. Puis Lucy commence à s'inquiéter.

— C'est bon, les filles, elle a eu sa leçon. Il faut la redescendre maintenant.

— Non, non ! Elle m'a frappée cette garce, attends un peu ! Elle est capable d'en prendre encore. Hein, ma belle ! lance Elizabeth à Ali.

La pauvre Ali n'a plus la force de retenir de ses mains le noeud qui l'étrangle de plus en plus. Son visage change de couleur et ses jambes s'agitent en tous sens.

— Hé, les filles amenez-vous ! On voit sa culotte. Elle est toute rose. Arrête de gigoter comme ça, Ali ! La dentelle est en train de s'enfoncer entre tes mignonnes petites fesses, se moque Elizabeth en jetant un regard vicieux sous la jupe de sa victime qui se balance au-dessus de sa tête.

— C'est assez! Catherine, dis quelque chose! se cabre Lucy.

— Lucy a raison, Elizabeth! Si on ne la redescend pas tout de suite, on va lui bousiller la cervelle. Allez, ce n'est plus drôle! Aide-moi Lucy.

Lucy et Catherine se retournent pour défaire le point d'ancrage de la corde.

— Ne touchez pas à cette corde, moi je m'amuse follement, on attend encore un peu! leur intime Elizabeth d'un ton menaçant.

Elle ne lâche pas des yeux la pendue qu'elle examine sous tous ses angles. Ali s'évanouit et est sur le point de rendre l'âme, quand le bruit sourd d'une porte qui se referme vient jeter un froid sur cette macabre cérémonie. Les apprenties meurtrières sont glacées jusqu'aux os. Elizabeth se tourne vers Catherine.

— Tu n'as pas fermé la porte derrière toi quand tu es entrée?

— Oui... Je ne sais plus!

Lucy s'agrippe à Elizabeth.

— Je ne l'ai pas entendue se refermer, dit-elle en tremblant de tous ses membres.

Elizabeth se dégage de Lucy et tente de localiser le bruit, mais l'échafaudage qui surplombe la porte la plonge dans un noir total.

— Qui va là?... Les filles, allez-y!

— Et Ali? Il faut s'en occuper, merde! crie Catherine.

— On n'en a rien à foutre d'Ali!... D'accord! Je vais redescendre cette conne. Mais vous, bougez-vous! commande Elizabeth.

Les deux complices avancent lentement en direction de la porte et disparaissent dans le noir.

Crac!... *Crac*!

— Qui est là?... Catherine, Lucy vous allez bien? demande Elizabeth d'une voix chevrotante.

Un lourd bruit de pas lui répond. Elle se met à courir vers le fond du musée en hurlant. Une main surgit derrière elle et s'abat sur son visage.

Crac!

26

Hôpital général de Boston, département de psychiatrie…

L'infirmier de service s'affaire à compléter un dossier lorsque sa montre-cadran se met à sonner. Elle indique trois heures du matin. La porte de l'ascenseur s'ouvre et un seau sur roulettes en surgit, suivi d'une femme de ménage qui le pousse par le manche de la vadrouille qui y trempe.

— Il y a des lits partout ici !

L'infirmier quitte le poste de garde et se dirige vers elle, un large sourire aux lèvres.

— Avec les compressions budgétaires, on a mis les vieux avec les dingues et ce n'est pas fait pour nous faciliter la tâche.

L'infirmier accompagne la préposée jusqu'aux toilettes pour bavarder tout son soûl pendant qu'elle fait le ménage. Pendant ce temps, à l'autre extrémité de l'étage, un homme sort de la cage d'escalier et se faufile dans la première chambre qu'il rencontre. Lorsqu'il constate que la voie est libre, il en ressort, longe le mur jusqu'au poste de garde, consulte un à un les noms des patients au tableau et s'arrête sur Thomas Ballard. Il ouvre les tiroirs les uns après les autres, s'empare d'un couteau à lames interchangeables et se dirige à pas feutrés vers la chambre 6.

Il ouvre la lourde porte capitonnée et entre dans la pièce plongée dans le noir. Il ne perçoit que le faible craquement d'une chaise de bois. Il s'avance. Il tâtonne le long du mur et sa main rencontre un cordon de veilleuse. Le visiteur le saisit et tourne l'interrupteur. Une fine lumière bleutée éclaire légèrement la pièce. Il remarque au fond de la chambre un homme attaché sur une chaise à bascule. Sa main est crispée autour d'un manche de couteau en plastique qu'on a dû casser, déduit-il, pour lui subtiliser la partie tranchante. L'étranger s'approche du visage de l'aliéné qui a les yeux grands ouverts. Il remarque du sang séché sur le pouce du pauvre homme. Il s'éloigne, inspecte une poubelle sous la fenêtre et y trouve la partie tranchante du couteau en plastique. La corbeille de métal est rougie par le sang. Le visiteur se rend ensuite au pied du premier lit sur sa gauche. Il soulève le dossier médical accroché au barreau et le lit à voix basse. Il est tombé pile, il s'agit de celui de Tom Ballard.

— Mais vous êtes paralysé de la tête au pied, mon pauvre ami.

Il remet le dossier en place, s'approche de la tête du lit, saisit le rideau et le fait glisser sur le rail.

— Nous serons plus tranquilles comme cela.

Il allume la lampe témoin, se retourne et, sans crier gare, assène une gifle à décrocher la mâchoire en plein visage du patient endormi. Le malade se réveille en sursaut et ouvre la bouche sans émettre le moindre son. L'intrus s'approche de son oreille.

— Bonjour, Monsieur le Directeur, nous avons rendez-vous avec notre destinée.

Le malheureux, effrayé, arrive à peine à tourner les yeux en direction de son assaillant. L'intrus lui tourne la tête vers lui.

— Que me voulez-vous? Qui êtes-vous? formule péniblement le pauvre homme dont les muscles faciaux sont quasi paralysés.

— Dans votre dossier médical, il est mentionné que vous souffrez d'Alzheimer. Je connais deux sortes de gens à qui l'on attribue ce diagnostic. Il y a ceux qui en sont réellement atteints et les autres qui veulent se soustraire à un passé qui pèse lourd sur leur conscience. Le passé, vous savez?... Quand les vieux d'aujourd'hui avaient alors du pouvoir sur leur vie et sur celles des autres. Mais tout ça est bien éphémère, n'est-ce pas?

L'intrus décoche une nouvelle gifle en plein visage du vieil homme.

— Pardon, je me suis laissé emporter. Je suis votre ange gardien, je viens vous faire recouvrer la mémoire.

L'intrus, qui gagne en assurance, prend le temps de regarder autour de lui. Son regard saute d'un appareil médical à un autre lorsqu'il aperçoit une tache rouge sur le drap du vieil homme, à la hauteur de son mollet. Il s'approche et soulève le drap. Une gaze protège le tibia qui présente de petites incisions sur toute sa longueur. Il rabaisse le drap et retourne à la hauteur de la tête du paralysé.

— C'est un bien triste harnachement que vous avez là. Que vous est-il arrivé ?

— Un accident de voiture.

— Comme c'est dommage ! Vous auriez pu en mourir. Vous avez même un moniteur cardiaque, c'est excellent, nous n'avons besoin de rien de plus. Regardez-moi… Oui, c'est ça. J'ai une petite histoire à vous raconter. Vous aimez les petites histoires ?

Le vieil homme ne répond pas.

— Vous allez adorer la mienne. Notre histoire commence en 1964. Oh, votre moniteur réagit à mes propos ; votre mémoire me semble en parfait état ! Vous savez, je ne l'ai jamais racontée à quiconque, et ça commence à me peser. J'espère que vous apprécierez la primeur que je vous ai réservée. Cette année-là, une famille revint de l'église par un beau dimanche après-midi. Attendez que je me rappelle… C'est ça ! La famille McBerry était là au grand complet. Il y avait Madame McBerry, Martin McBerry son mari, leur fils Edward et même Robin, le petit chiot de la famille. Le petit Edward était assis sur les genoux de sa mère qui lui faisait la lecture de Batman. Vous aimez Batman ?… Enfin bref. L'enfant aimait bien parler et poser des questions à sa mère qui s'amusait à l'entendre s'interroger sur tout et sur rien…

38 ans plus tôt, Bifield…

— Maman, est-ce que je ressemblerai à Batman quand je serai grand?

— Bien sûr, mon chéri.

Elle tourna la page en déposant un baiser sur son front.

Au même moment, à un kilomètre de là, une voiture négociait la première courbe d'une route en lacets. Elle dépassait largement la vitesse permise lorsqu'elle croisa la voiture du shérif garée perpendiculairement à la chaussée, dans l'entrée d'un chemin de terre. Le jeune officier au volant se redressa aussitôt et suivit du regard la course folle du véhicule.

— On y va, chef?

— Du calme, je n'ai pas encore fini mon sandwich, on est dimanche et, de toute façon, on a déjà notre quota pour la journée. Tu sais…

— Mais il y a une vague de vols…

Le vieux shérif éclata de rire.

— Arrête un peu, mon gars, tu veux… Tous les gens pressés ne sont pas des criminels qui…

Le chef n'eut pas le temps de terminer sa phrase.

— Merde! s'écria l'officier au volant.

En négociant la courbe, le chauffard au visage partiellement caché par son chapeau avait maintenu sa vitesse effrénée. Incapable de rester dans sa voie, il se retrouva de l'autre côté de la route, face à face avec le véhicule des McBerry. Martin McBerry donna un coup de volant pour éviter le pire et dirigea sa voiture directement vers le fossé. Lilie et Edward eurent à peine le temps d'entrevoir le chauffard. Ce dernier tenait d'une main le volant et une bouteille de whisky et, de l'autre, la jambe nue enserrée d'une corde de chanvre nouée à la cheville d'une jeune fille qui se débattait sur la banquette arrière.

La voiture des McBerry percuta un arbre de plein fouet. Martin traversa le pare-brise. Sa femme entoura le petit de ses bras pour le protéger. Ne disposant plus de ses mains pour parer le choc, elle se fracassa la tête contre le tableau de bord. Avant de fermer ses grands yeux bleus pour une dernière fois sur son monde idyllique, le petit Edward avait vu toute la scène.

Le vieux shérif frappa alors le bras de son collègue tout en projetant son sandwich et son café par la fenêtre.

— Fonce ! Fonce ! Fonce !

Les officiers démarrèrent sirènes hurlantes pour porter secours aux McBerry, mais il était déjà trop tard. Le couple était décédé sur le coup. Seul le petit Edward fut retrouvé vivant dans les bras de sa mère qui avait utilisé sa tête comme bouclier pour protéger son enfant de l'impact. Le vieil officier dégagea le petit qui s'était évanoui sur le cadavre de sa mère et le serra fortement contre lui. Le fuyard avait disparu à l'horizon, emportant avec lui sa future victime. Le vieux représentant de l'ordre savait qu'il venait de commettre une bavure en empêchant son collègue de faire son travail. S'ils avaient pris en chasse le véhicule qui fonçait à tombeau ouvert quelques instants auparavant, ils auraient pu éviter le drame de la famille McBerry, porter secours à une jeune et innocente victime et mettre fin à la carrière d'un tueur débutant. Les policiers avaient eu le temps d'entrevoir le chauffeur et de noter la marque du véhicule. Ils dressèrent son portrait-robot qui fut immédiatement diffusé. Cependant, ils n'avaient pas remarqué la présence d'une passagère à bord et, comme ils n'osèrent pas interroger le petit de peur qu'il raconte qu'ils avaient failli à leur devoir, il ne fut jamais question de rechercher cet homme pour enlèvement, et encore moins de le relier à la découverte du cadavre d'une jeune fille le lendemain. Pourtant, le bambin avait tout vu. Le regard du chauffard, âgé d'à peine seize ans, resterait gravé à tout jamais dans sa mémoire.

Bien que cela aille contre l'usage, le vieux shérif insista pour rester auprès du gamin tout au long de son examen médical. Lorsque l'enfant obtint son congé de l'hôpital, il offrit même de l'accompagner à l'orphelinat de Boston.

*
* *

Orphelinat de Boston...

Le shérif se présenta avec le gamin à la porte de l'établissement. Après une recherche minutieuse, il découvrit une petite sonnette circulaire qu'il enfonça de son index. Une vieille religieuse à l'allure austère entrebâilla la porte et répondit d'un ton sec.

— Oui?

— Pardon, ma Sœur, je viens vous porter cet enfant.

— Je ne suis pas votre sœur, je suis la mère supérieure de cet établissement et je n'attends aucun enfant. Il est dix-huit heures, Monsieur ! Les prises en charge se font de neuf à onze heures et de quatorze à seize heures. Voyez, c'est écrit là sur le mur.

Le shérif baissa les yeux.

— Excusez-moi d'insister ma Mère, mais j'ai…

— C'est vous qui m'excuserez, Monsieur, mais j'ai d'autres chats à fouetter, alors…

Une voix douce se fit entendre derrière la Supérieure.

— Pardonnez-moi, ma Mère, je crois que c'est pour moi.

La mère supérieure se retourna aussitôt.

— Sœur de la Charité, vous savez très bien que nous ne recueillons aucun enfant passé seize heures.

Sœur de la Charité était une religieuse d'une cinquantaine d'années qui avait voué sa vie à l'orphelinat. Elle y avait elle-même demandé sa mutation dès la fin de son noviciat, ce qu'on lui accorda aisément : à cette époque, on ne se bousculait pas au portillon pour s'occuper d'orphelins. Ces enfants étaient considérés comme les fruits du péché. Sœur de la Charité était d'une nature aimante. Elle faisait partie de l'institution depuis plus de trente ans et n'avait jamais passé une seule journée sans aller visiter ses petits protégés. On lui aurait donné facilement vingt ans de moins. Quand quelqu'un faisait allusion à son air de jeunesse, elle disait qu'elle le devait à la présence des beaux enfants dont Dieu lui avait donné la chance de s'occuper.

Sœur de la Charité s'approcha.

— Oui, bien sûr, ma Mère, mais l'officier m'a prévenu d'un possible retard. Excusez-moi, cela ne se reproduira plus.

— J'accepte vos excuses, ma Sœur, mais cela ne change en rien le règlement et je n'accepterai pas un autre écart de la sorte, sermonna la mère supérieure en haussant la voix.

Puis elle s'éloigna sans même un regard en arrière. Sœur de la Charité rattrapa la porte de justesse pour éviter qu'elle ne claque au nez du shérif. Elle fit signe aux deux visiteurs d'entrer, mais le petit Edward resta figé sur place. L'homme le poussa doucement à l'intérieur. La sœur referma la porte et se pencha à la hauteur de l'enfant.

— Qu'est-ce que tu es mignon! Comment t'appel-les-tu?

L'enfant demeura muet.

— Il s'appelle Edward McBerry, répondit le shérif à sa place.

— Va t'asseoir là-bas, je vais m'entretenir avec Monsieur l'Agent et, après, je m'occuperai de toi. D'accord?

L'enfant se dirigea tête baissée vers un banc situé à moins de cinq mètres de là. Le policier commença nerveusement son récit.

— Vous savez, ma Sœur, j'ai recueilli cet enfant sur les lieux d'un accident un peu avant midi. Tous les membres de sa famille sont décédés.

— Quelle horreur! Vous savez ce qui s'est passé?

— Non, on n'a rien vu mon collègue et moi, on est arrivé quelques minutes plus tard sur les lieux.

En chemin, on a croisé une voiture. On recherche le chauffeur qui pourrait peut-être nous dire ce qui s'est passé. On a retrouvé la voiture accidentée dans un fossé longeant une courbe. Le père devait être en état d'ébriété. Vous savez ce que c'est, ma Sœur, c'était un immigrant écossais.

Le regard du shérif croisa alors celui du petit McBerry qui entendait tout ce qu'il racontait. L'homme détourna aussitôt le regard et replaça maladroitement son couvre-chef.

— Bon, je ne vous dérangerai pas plus longtemps, ma Sœur.

Le policier s'empressa de quitter les lieux, sans même un dernier adieu au petit. La religieuse referma la porte derrière lui et s'agenouilla devant l'orphelin.

— J'imagine que tu as faim.

Le garçon ne répondit pas. La sœur aperçut le sac qui bougeait.

— Qu'est-ce que c'est ?

Elle ouvrit le sac et la tête d'un mignon petit chiot en émergea.

— Oh non ! Tu sais, c'est interdit ici.

Edward attrapa le petit animal et le serra contre lui en le recouvrant de son veston. La sœur recula et réfléchit un moment.

— Il va falloir trouver une solution, car si la mère supérieure le voit, je ne peux pas te garantir que tu pourras le garder.

Le petit se mit à verser quelques larmes que le chiot s'empressa de lécher. La sœur comprit qu'il était assoiffé et que le garçon devait l'être lui aussi.

— Viens, on va aller nourrir ton petit ami.

La sœur ne toucha pas au chiot. Elle devinait que le petit animal constituait maintenant le seul soutien affectif du garçonnet. Elle prit le sac et se releva. Edward se releva à son tour et la suivit dans le couloir en serrant fortement son petit animal contre lui. La religieuse fit seule la conversation tout au long du trajet jusqu'au réfectoire pour ne pas forcer le petit à s'ouvrir.

— Il y a de la bonne soupe pour toi et l'on va trouver quelque chose aussi pour ton ami. Au fait, est-ce qu'il a un nom ton chien ?… Je suis sûre qu'il est beau. Tu sais demain, un couple va venir chercher des enfants pour constituer une nouvelle famille. Qui sait, tu auras peut-être la chance d'être choisi ? Toi et ton petit copain, bien sûr ! précisa la sœur.

*
* *

Le lendemain matin…

Dès le lever du soleil, Edward fut réveillé par le son du sifflet de Sœur de la Charité. La religieuse entra dans le dortoir et fila jusqu'à la fenêtre pour y ouvrir les épais rideaux verts qui empêchaient les rayons du soleil de pénétrer.

— Allez tout le monde, debout ! C'est l'heure ! On fait son lit et après, hop ! tout le monde sous la douche ! Nous recevons des visiteurs aujourd'hui et nous voulons faire bonne impression.

Les enfants sautèrent du lit et coururent dans tous les sens. Les couvertures, les draps, les oreillers virevoltaient dans le silence le plus complet, car parler sans permission hors du terrain de jeux était strictement interdit. Sœur de la Charité tentait depuis longtemps de faire abolir ce règlement désuet, mais la mère supérieure y tenait par-dessus tout. Au bout de la rangée, une forme restait inerte sous les couvertures. Ni le coup de sifflet, ni les allées et venues de la fourmilière, pas même la lumière du soleil n'avaient fait broncher le petit McBerry. Edward se terrait sous ses couvertures, recroquevillé autour du petit Robin, seul élément réconfortant de ce monde inquiétant. Les yeux grands ouverts, le garçonnet restait immobile, telle une proie qui cherche à éviter d'attirer l'attention d'un prédateur.

Sœur de la Charité comprit que le petit voulait se réfugier dans un monde où ses parents étaient encore en vie. Elle avait plus d'une trentaine de garçons à s'occuper, mais comme c'était le premier jour du petit à l'orphelinat, elle décida de lui porter une attention toute particulière. Elle s'approcha lentement de son lit pour ne pas l'effrayer et déposa délicatement sa main sur les cheveux qui dépassaient de l'abri de fortune.

— Viens, mon petit Edward, il faut que tu sortes de ton lit.

Ce moment privilégié suffit à rassurer quelque peu l'enfant. Pas assez pour qu'il réponde à la religieuse, mais suffisamment pour qu'il consente à suivre les autres enfants pour faire plaisir à celle pour qui il commençait à éprouver de l'affection. Robin resta sous les couvertures. La religieuse le caressa et lui donna un morceau de bacon qu'elle avait glissé dans sa poche à son intention au petit déjeuner. Edward aurait bien aimé lui dire merci, mais il en était incapable. Depuis l'accident de ses parents, il lui était impossible de proférer le moindre son.

*

* *

Une heure plus tard...

Dans le bureau de la mère supérieure, un couple prenait connaissance des formalités administratives pour l'adoption de deux enfants. La femme avait déjà choisi une fillette de six ans aux cheveux blonds et bouclés.

— Si vous voulez bien me suivre, nous allons maintenant voir les petits garçons afin que vous puissiez en choisir un, dit la religieuse en faisant signe à ses invités de l'accompagner.

Tous quatre se dirigèrent vers le dortoir des garçons. Dès qu'elle aperçut la Supérieure au bout du couloir, Sœur de la Charité donna un coup de sifflet.

— Les enfants ! Allez vous mettre en rang comme je vous l'ai montré tout à l'heure, dit Sœur de la Charité en souriant aux bambins.

Les enfants s'alignèrent aussitôt. La mère supérieure entra dans le dortoir accompagnée de ses invités.

L'homme s'avança et inspecta les enfants un à un. Il s'arrêta soudain devant le petit McBerry. Le garçonnet fixait obstinément les genoux de l'homme qui lui arrivaient à la hauteur du nez. Le visiteur recula un peu et le regarda de nouveau avant de se tourner vers la mère supérieure.

— Est-ce bien Edward McBerry ?

— Attendez… je ne sais pas, il vient d'arriver. Sœur de la Charité, savez-vous comment s'appelle ce petit ?

— Oui, ma Mère, il se nomme Edward McBerry.

Le petit Edward releva la tête et fit un bond en arrière en poussant un hurlement. Il venait de reconnaître le pasteur de Bifield. Il se mit à courir vers la fenêtre, mais heurta Sœur de la Charité qui se trouvait sur sa route. Elle l'attrapa.

— Qu'est-ce qu'il y a, mon petit ?

— J'ai peur !

Pour la première fois depuis la mort de ses parents, Edward rompait le silence. Il poursuivit.

— Je ne l'aime pas !

Le pasteur regarda sa femme qui lui fit un sourire.

— Je le prends.

Edward s'agrippa aux jambes de Sœur de la Charité qui réussit difficilement à lui faire lâcher prise. Elle le prit dans ses bras et le cajola.

— Ce sont des gens gentils, tout va bien aller. Je serai toujours là pour toi. Ce sont des gens très bien.

Elle plongea la main dans son tablier et en sortit un bonbon qu'elle mit dans la main du petit.

— Tiens, prends ça.

Edward lança aussitôt la friandise contre le mur. Amusé, le pasteur regardait la scène. Il tendit la main à l'enfant.

— Allez, viens Edward ! Tu as une nouvelle maison maintenant.

Sœur de la Charité reposa le petit sur le sol, s'accroupit et le regarda droit dans les yeux.

— Tu dois y aller, tu n'as pas le choix, tu es un grand garçon. Sois fort.

Elle le poussa doucement vers le pasteur. Les joues de l'enfant baignaient de larmes, Sœur de la Charité avait peine à retenir les siennes. En temps normal, elle évitait les scènes de tendresse lors du départ d'un enfant, afin de lui épargner une déchirure de plus dans sa courte existence déjà trop bien remplie. Cette délicatesse, elle la destinait aussi aux nouveaux parents qui devraient désormais intégrer dans leur famille ces enfants blessés. Mais pour le petit Edward, elle n'arrivait pas à respecter sa propre règle. Elle s'essuya les yeux et prit une grande inspiration.

— Attendez, il a un ami qui vient avec lui !

Le pasteur se retourna.

— Pardon ?

Sœur de la Charité se précipita jusqu'au lit où le petit avait passé la nuit et en sortit le petit animal.

— C'est son ami.

— Ohhh ! s'exclamèrent en chœur les enfants. Mais ils ne bronchèrent pas, car la mère supérieure était tout près et tous savaient qu'elle avait la main leste. Cette dernière devint verte de rage.

— Comment ! Qu'est-ce que cette bête fait ici, sortez cette chose tout de suite, ma Sœur !

— Il n'y a aucun problème, ma Mère, puisque justement, il s'en va avec le petit McBerry. N'est-ce pas, mon Révérend ?

Agacé, mais pressé d'en finir, le pasteur n'hésita pas une seconde.

— Bien sûr, ma Sœur, donnez-le-moi !

Sœur de la Charité s'avança vers le pasteur, puis se pencha et remit le chiot à Edward.

— Tiens, mon petit, prends-en bien soin, occupe-toi de lui aussi bien que j'aimerais m'occuper de toi.

Agacé, le pasteur tira l'enfant par l'épaule.

— Allez, maintenant il faut partir.

La mère supérieure jeta un regard foudroyant à Sœur de la Charité et raccompagna ses hôtes.

— Vous savez, mon Révérend, le petit garçon n'est pas encore légalement sous notre protection. Mais comme c'est vous, je vous le laisse tout de suite afin que lui et sa nouvelle sœur puissent commencer leur vie de famille ensemble. Toutefois, son nom ne peut apparaître sur les papiers pour l'instant, vous vous en doutez bien. Il vous faudra revenir afin de légaliser le tout.

— Bien entendu, ma Mère. Nous vous en sommes tous bien reconnaissants.

*
* *

Vers un nouveau foyer...

Assise sur la banquette arrière de la voiture, la fillette observait Edward qui tenait Robin dans ses bras.

— Il est beau ton petit chien. Je m'appelle Iris et toi ?

Encore sous le choc, le petit garçon ne lui répondit pas et garda les yeux baissés. S'il s'était tourné vers elle, il aurait pu voir son sourire illuminé par l'espoir de connaître enfin une vie meilleure. La femme du pasteur se retourna.

— On est arrivé les enfants, voici votre nouvelle demeure. J'imagine que vous avez faim ? Il y a un délicieux ragoût qui mijote sur le feu.

La maison était construite sur un seul étage et possédait un sous-sol. Elle était située à un demi-kilomètre de l'église de Bifield où le pasteur exerçait son ministère.

Les enfants furent accueillis par une bonne odeur de ragoût. Après avoir déposé leurs effets personnels dans leur nouvelle chambre respective, ils passèrent à la salle de bains pour s'y laver les mains. Le pasteur se mit à table, suivi des enfants. La femme du pasteur commençait tout juste à faire le service quand le chiot d'Edward sortit du veston de son petit maître et alla se réfugier sous la table. Edward se pencha, le pasteur en fit autant. D'une main leste, il saisit le pauvre animal par la peau du cou et le souleva à la hauteur de ses yeux.

— Qui t'a permis de te promener ici, sale bête !

Il projeta le chiot dans le salon et le malheureux atterrit brutalement sur le parquet. Edward esquissa un mouvement pour sortir de table. Le pasteur plaça son index entre ses deux yeux.

— Où vas-tu, toi ? Ici, personne ne sort de table sans mon autorisation.

La femme du pasteur, qui avait fini son service, s'assit tranquillement à la table comme si rien ne s'était passé.

— Qui récite la prière ?

Le pasteur débita alors un flot de paroles incompréhensibles. Il termina enfin sa litanie.

— Amen ! Bon appétit !

Edward était gaucher, mais quand il était encore bébé, sa mère lui avait appris à utiliser sa main droite pour manger en public, comme cela se devait à l'époque. Il remarqua qu'Iris tenait sa fourchette de la main gauche et souhaita secrètement qu'elle en change de main. Iris s'apprêtait à piquer une patate fumante quand le pasteur, qui ne cessait de la surveiller avec ce regard fixe qu'il avait parfois à l'église, commença à la semoncer d'un ton courroucé.

— Personne ne mange avec sa main gauche à ma table.

Apeurée, la petite Iris transféra sur-le-champ sa fourchette de main. Angoissée et inaccoutumée à utiliser sa main droite, elle réussit à piquer le légume, mais, dans un mouvement maladroit pour porter l'ustensile à sa bouche, elle frappa de son coude la salière en porcelaine placée juste à côté de son assiette. L'objet s'écrasa bruyamment sur le sol et éclata en mille morceaux. La femme du pasteur gifla la fillette avec une violence telle qu'elle tomba en bas de sa chaise.

— Petite garce !

Iris se mit à pleurer à chaudes larmes. Elle était incapable de se relever tant la douleur la submergeait. La femme du pasteur ramassa les débris en se lamentant.

— Ah non, ma belle salière, elle m'a coûté une fortune ! Sale garce, tu l'as fait exprès de la casser !

Le pasteur se mit dans une rage folle.

— Vous êtes privés de souper ! Filez dans vos chambres ! Toi ma petite, je vais t'apprendre à vivre !

Les enfants quittèrent la cuisine sans demander leur reste et coururent vers leurs chambres en hurlant. Edward pénétra dans la première chambre à droite et Iris se réfugia sur le lit de la petite chambre du fond qui avait un mur mitoyen avec celle d'Edward. Le garçon entendit des bruits de pas et comprit que le pasteur se dirigeait vers les chambres. Craignant le pire, il l'aperçut qui filait en droite ligne vers la chambre d'Iris, une ceinture de cuir à la main. Les sanglots de la fillette s'interrompirent, puis elle poussa un hurlement suivi d'un silence pesant. On aurait dit qu'elle venait de rendre l'âme. Terrifié, Edward tendit l'oreille, quand des coups saccadés firent vibrer les murs de sa chambre. N'écoutant que son courage, le valeureux petit garçon se précipita vers la chambre d'Iris, ouvrit la porte et vit la fillette couchée sur le lit, nue et ensanglantée. Le pasteur était penché sur elle et la violait. Il tourna la tête et aperçut le petit.

— Retourne dans ta chambre, espèce de salaud et ferme cette putain de porte, sale petit voyeur !

Le garçonnet aurait bien aimé s'élancer comme son héros Batman, mais il n'était malheureusement qu'un petit enfant désemparé, sans aucune autre ressource que de hurler pour se défendre. Et, même ça, il n'arrivait pas à le faire tant il était pétrifié. Le pasteur, lui, écumait de rage.

— Fiche le camp, sale bête ! Fiche le camp d'ici !

Edward claqua la porte, fit demi-tour et s'enfuit vers son lit où il se terra sous les couvertures. Le petit chiot vint l'y rejoindre et se blottit contre lui. Les bruits continuèrent quelques instants, puis un silence de mort tout aussi effrayant envahit la maison. Edward finit par s'évanouir d'épuisement.

*
* *

Premier matin en famille...

Le lendemain matin, une odeur de bacon sonna le réveil.

— Les enfants, le petit déjeuner est servi. À table ! invita la femme du pasteur.

La veille, Edward s'était endormi tout habillé. Il se leva d'un bond, croisa Iris dans le couloir et tous deux coururent se mettre à table. Le pasteur était déjà en train de boire son café et, si ce n'avait été des ecchymoses sur les bras de la petite Iris, on aurait pu croire qu'on venait de sortir d'un horrible cauchemar et qu'il ne s'était rien passé. Une fois la prière terminée, les enfants affamés dévorèrent tout ce que leur nouvelle mère leur servit. Dociles, ils tenaient leur fourchette de la main droite en prenant bien soin d'éviter de heurter tout objet qui se trouvait sur la table. Iris risqua un regard en direction du pasteur qui lui fit un beau sourire. La petite, qui avait toujours rêvé de vivre dans une famille normale, se montra encline au pardon et lui retourna son sourire. Quand tous furent rassasiés, le pasteur se leva pour signifier la fin du repas, pendant que sa femme desservait la table.

— Les enfants, allez vous préparer, je vais vous conduire à l'école ! dit-elle en terminant la vaisselle.

*
* *

École primaire de Bifield…

La femme du pasteur se rangea sur le bord du trottoir.

— C'est ici, tu connais déjà l'école, Edward ?

Le garçon hocha la tête de haut en bas.

— Tu sais où est le bureau du directeur ?

Edward hocha la tête de nouveau.

— Alors, tu vas y aller avec Iris. J'ai prévenu le directeur, il vous attend. Il m'a dit qu'il restait encore de la place dans ta classe. Comme ça, Iris va pouvoir être avec toi. Je vais revenir ici à seize heures pile. Soyez sages, ne me faites pas honte.

La femme du pasteur détala à toute vitesse en faisant crisser ses pneus. Edward prit Iris par la main et, comme c'était lui le petit homme et qu'il connaissait les lieux, il passa devant. Il s'arrêta soudain à mi-chemin, lâcha la main d'Iris et lui fit face.

— J'ai peur, je ne veux plus retourner là-bas. On va tout raconter au directeur, il va nous aider.

— Non, je ne veux pas, répondit tristement Iris.

— Il faut le faire.

Edward reprit Iris par la main. Ils pénétrèrent dans l'école et arrivèrent devant le bureau du directeur. Dans le bureau d'en face, sa secrétaire dactylographiait une lettre. Elle aperçut les deux enfants et reconnut Edward. Elle savait qu'il venait de perdre ses parents, mais évita d'en faire mention pour ne pas raviver sa peine.

— Edward!... Venez avec moi, les enfants. Je crois que le directeur n'est pas encore là, mais... Suivez-moi.

La secrétaire se leva, traversa le couloir, ouvrit la porte et entra dans le bureau du directeur, suivie des deux petits.

— Asseyez-vous ici, les enfants. Le directeur va arriver d'une minute à l'autre.

Elle retourna s'asseoir devant sa machine à écrire d'où elle pouvait facilement surveiller les petits et se remit au travail. Le directeur apparut dans le cadre de porte.

— Bonjour, Mademoiselle Campbell, vous allez bien?

— Oui merci! Et vous, Monsieur?

— Très bien, merci!

— Vous avez des visiteurs.

Le directeur se retourna et aperçut les deux petits assis bien sagement dans son bureau.

— Bonne journée, Mademoiselle.

Le directeur Ballard était un homme de quarante-cinq ans, grand et maigre. Il vivait seul, ne s'était jamais marié et n'avait pas de petite amie connue. Mais il s'était fait un copain durant la guerre de Corée, un certain Perce, qui habitait en Californie et avec lequel il correspondait régulièrement. Le directeur entra dans son bureau, ferma la porte, enleva son chapeau et son imperméable, et s'assit dans son fauteuil.

— Bonjour les enfants. Tu es la petite Iris ?

— Oui, Monsieur, il m'a battue, répondit l'enfant de but en blanc.

— Quoi ? lança le directeur, surpris.

Malgré sa crainte, Iris avait décidé de tout dévoiler pour faire plaisir à son nouveau frère qu'elle aimait et qu'elle voulait garder à ses côtés pour toujours. C'était la première fois que quelqu'un lui donnait un conseil pour son bien. Edward était vraiment gentil, se disait-elle. Elle ferait donc ce qu'il lui demandait.

— Il m'a battue.

— Qui ça ?

— Le pasteur, il m'a battue et m'a fait des choses.

La fillette se mit à pleurer. Edward retint ses larmes et le visage du directeur changea de couleur. Il se leva et ouvrit la porte de son bureau.

— Sors, Edward !... Mademoiselle, pouvez-vous vous occuper du petit deux minutes, s'il vous plaît ?

— Bien sûr, Monsieur. Viens, Edward, prends-toi un bonbon.

Le directeur referma la porte, retourna s'asseoir à son bureau et tendit un mouchoir à Iris.

— Tiens, Petite. Tu veux un verre d'eau ?

Iris refusa d'un mouvement de tête. Le directeur s'accouda sur le bureau.

— Vas-y, raconte, je t'écoute.

La fillette relata tous les faits et gestes de la veille, sans oublier le moindre détail. Assis de biais avec la porte vitrée du directeur, Edward gardait la tête tournée vers Iris pour observer si tout se passait bien et si elle semblait décidée à tout dévoiler. Au bout de dix minutes, le directeur sortit de nouveau.

— Venez, les enfants. Viens, Edward ! Viens, Iris !

Les deux enfants s'approchèrent timidement de lui. Le directeur se pencha, prit la main d'Edward dans sa main gauche et celle d'Iris dans sa droite, et les regarda tour à tour dans les yeux.

— Allez en classe les enfants. Tu sais où est ta salle, Edward ? Alors, amène Iris avec toi et tu diras à ta maîtresse que c'est moi qui vous envoie. Mademoiselle Barry a préparé un pupitre pour toi, Iris.

Le directeur mit la main d'Iris dans celle d'Edward et les regarda s'éloigner. Puis il se redressa, retourna d'un pas rapide dans son bureau, referma la porte et empoigna son téléphone.

Edward serra très fort la main d'Iris. L'enfant avait vu son père agir de la sorte avec sa mère quand elle se sentait mal. Par ce geste, il lui signalait qu'il l'aimait, qu'elle pouvait compter sur lui et qu'il partageait sa peine.

— Qu'est-ce que tu as dit, Iris ?

— Tout.

— Tu as bien fait.

*

* *

Après l'école...

Edward et Iris se tenaient sur le trottoir, à l'endroit même où Anna Barton les y avait laissés le matin. À seize heures précises, la voiture s'arrêta à leur hauteur. La femme du pasteur semblait très fâchée. Elle fit monter les petits et resta silencieuse tout le long du trajet. En arrivant devant la maison, les enfants remarquèrent le pasteur campé sur le perron, les mains sur les hanches. Iris s'empara de la main d'Edward et la serra contre sa poitrine.

— J'ai peur !

La voiture venait à peine de se garer que le pasteur ouvrait déjà la portière. Il saisit Edward par le bras.

— Viens, toi !

— Non, lâchez-moi !

— Boucle-la ! ordonna le pasteur.

Il l'extirpa brutalement du véhicule et jeta un coup d'œil à son épouse.

— Vas-y tout de suite !

— D'accord.

Le pasteur referma la portière pendant qu'Iris ouvrait la sienne pour descendre à son tour. La marâtre se retourna en la pointant du doigt.

— Non ! Toi, tu ne descends pas, ma petite, on a des courses à faire.

Iris referma la portière aussitôt. La femme du pasteur quitta les lieux en trombe et roula jusqu'à une belle grande maison isolée dans la forêt, à l'extérieur de la ville. Elle laissa tourner le moteur, sortit du véhicule, ouvrit la portière arrière et attrapa la petite Iris par la main.

— Allez, viens !

— Où va-t-on ?

— Que tu es bête, dans la maison qui est là. Où crois-tu qu'on peut aller ?

La femme du pasteur tira la fillette hors du véhicule, claqua la portière, se dirigea vers la porte d'entrée principale et frappa. Le directeur ouvrit la porte. Iris se mit à hurler et tenta de s'échapper, mais sa mère adoptive la retint fermement par le bras. Le directeur l'attrapa par l'autre bras et lui appliqua la main sur la bouche.

— Viens un peu ici, ma belle.

— Je reviendrai la chercher dans une heure pile.

— C'est parfait, je vais bien m'occuper d'elle, répondit le directeur en titubant.

La femme du pasteur sortit de la maison, monta dans sa voiture et quitta les lieux en toute hâte.

*
* *

Deux heures plus tard, maison du pasteur...

Edward, le cœur gros, était resté assis par terre dans sa chambre. Il jouait distraitement avec Robin en attendant le retour d'Iris. Il entendit enfin le son du moteur et se précipita vers la porte d'entrée. La marâtre arrivait devant la porte en portant deux sacs à provisions.

— Ouvre, idiot! vociféra-t-elle en donnant un coup de pied dans la porte.

— Où est Iris? demanda Edward.

— Elle est allongée sur la banquette arrière, la paresseuse. Elle s'est endormie et je n'arrive pas à la réveiller…

Edward voulut s'élancer vers la voiture, mais la femme du pasteur lui barra le passage.

— Non, tu ne sors pas d'ici, toi! Charles, va chercher ta fille!

Le pasteur était occupé à préparer son sermon pour le dimanche suivant. Il avait horreur qu'on le dérange lorsqu'il s'installait au salon avec sa bible.

— Pourquoi n'entre-t-elle pas d'elle-même?

— Va la chercher et vite! cria sa femme d'un ton qui coupa court à toute discussion.

Edward se tenait toujours devant la porte, ce qui irrita le pasteur.

— Fiche le camp, vermine, va dans ta chambre! Qu'est-ce que tu fais là, idiot? On ne t'a pas appris à te mêler de tes affaires?

Edward s'esquiva prestement dans sa chambre. La marâtre alla ranger ses courses dans la cuisine pendant que le pasteur sortait pour aller chercher la fillette. Elle était évanouie. Il la prit dans ses bras et la jeta sur son lit. Il ressortit de la chambre, ferma la porte et repassa devant la chambre d'Edward en chantonnant.

— Rien de tel qu'un directeur d'école pour élever les vilaines petites filles qui racontent des histoires à tout le monde.

Edward attendit un instant, puis sortit de sa chambre sans faire de bruit. Il regarda du côté de la cuisine et vit la femme du pasteur occupée à ranger la nourriture. Il s'avança un peu plus et jeta un coup d'œil dans le salon. Le pasteur était de nouveau plongé dans sa bible. Edward fila vers la chambre d'Iris, tourna doucement la poignée et entra. Il vit la petite Iris couchée sur le dos, tout ensanglantée. Elle était couverte de plaies et de bosses et ses vêtements étaient en lambeaux. Elle avait le regard vide et semblait ne plus respirer. Elle était méconnaissable. Le petit s'avança davantage. Ses yeux étaient si brouillés par les larmes qu'il avait du mal à distinguer où il allait. Une fois à son chevet, il prit précautionneusement sa main dans la sienne.

— Iris, qu'est-ce que tu as?

Au son de la voix aimée, Iris se retourna. Elle avait la joue enflée et il lui manquait deux dents, une incisive et une canine. Le sang giclait des cavités laissées par les dents perdues. Elle avait peine à s'exprimer, mais elle était si heureuse de voir Edward à ses côtés qu'elle puisa dans ses ressources pour lui murmurer dans un ultime effort.

— C'est toi, Eddy? C'est toi?... Je vais bien, je vais très bien, je n'ai rien. Donne-moi ta main, Eddy.

— Tu l'as déjà, articula avec peine le petit en larmes.

— Je suis tellement heureuse que tu sois là... Tu es mon ami, hein, Eddy? Tu es mon ami, toi, hein? Dis oui, Eddy.

— Oui, je suis ton ami.

Iris soupira d'aise.

— Il ne faut pas raconter nos secrets aux grandes personnes, Eddy. Les grandes personnes n'aiment pas les enfants.

— Non, c'est promis, je ne parlerai plus jamais, Iris ! Plus jamais, promis !

Iris esquissa un sourire, ferma les paupières sur son magnifique regard azur et s'enfonça dans un profond et paisible sommeil.

*
* *

Ce soir-là...

Alors que la soirée était bien entamée et que la lune commençait à montrer le bout de son nez, Edward, épuisé et terrorisé, s'était encore une fois endormi tout habillé après s'être jeté sur son lit. Soudain, un hurlement le réveilla en sursaut. Il bondit de son lit et vit le pasteur se hâter vers la chambre d'Iris.

— Que se passe-t-il ? cria-t-il à sa femme.

Edward sortit de sa chambre et se rendit devant la porte de la chambre d'Iris. Le pasteur tenait entre ses doigts le poignet de la fillette. Il regarda sa femme, puis, déconfit, hocha la tête de droite à gauche.

Épouvantée, la femme du pasteur se cacha le visage dans ses mains.

— Ah, mon Dieu ! Qu'est-ce qu'on va faire ? Mais qu'est-ce qu'on va faire ?

Elle aperçut alors Edward qui fuyait en hurlant. Elle se précipita pour l'attraper, mais le pasteur la stoppa dans sa course en la saisissant par le bras.

— Laisse! On n'a pas de temps à perdre avec lui, il faut s'occuper de la fille.

Edward ramassa Robin au passage, fila vers la porte de la cuisine et s'enfuit dans la forêt. Il courut avec son chiot dans les bras pendant des heures. Il arriva enfin à une autoroute. Des phares surgirent de la nuit et une voiture l'évita de justesse. Le véhicule s'immobilisa, un homme en sortit et se précipita vers le garçon.

— Merde! Qu'est-ce que c'est que ça?

L'homme se pencha sur l'enfant évanoui, le ramassa ainsi que son chiot qui grognait, et les installa dans sa voiture. Après quelques minutes, Edward revint à lui.

— Tu veux un peu d'eau? Tu m'as fait une de ces peurs! Où habites-tu, mon garçon? s'informa le chauffeur en consultant son carnet de route.

Edward ne voulait plus retourner chez le pasteur. Il se rappela soudain ce que lui avait dit Sœur de la Charité avant qu'il quitte l'orphelinat. *Occupe-toi de Robin aussi bien que j'aimerais m'occuper de toi.*

— Je viens de l'orphelinat, affirma le petit garçon sur un ton décidé.

— L'orphelinat de Boston?

Le petit fit signe que oui, bien qu'il n'était pas du tout certain qu'il s'agisse du bon orphelinat. L'homme éclata de rire et tendit sa vieille gourde à Edward.

— Bon sang, tu en as de la chance, Petit, je vais justement dans le coin!

Après une demi-heure de route, le voyageur arriva devant l'orphelinat.

— Tout est fermé ici, ce n'est pas surprenant vu l'heure qu'il est.

Le bon samaritain regarda sa montre.

— Zut! Il est trois heures du matin! Je suis encore en retard! Ça va aller, Petit, si je te laisse devant la porte? De toute façon, je n'ai jamais aimé les bonnes sœurs.

Le petit Edward descendit de la voiture avec Robin et frappa à la porte pendant que son gentil conducteur s'éloignait dans la nuit. Il frappa encore et encore. Toujours pas de réponse. Il s'assit sur la première marche de béton et se mit à pleurer. Une des fenêtres qui se trouvait au niveau du sol s'illumina. Edward entendit le glissement du châssis, puis une douce voix qu'il avait gravée dans sa mémoire.

— Edward, est-ce toi? Edward McBerry?

En reconnaissant Sœur de la Charité, le petit fugitif accourut vers la lumière en pleurant.

— Je ne veux plus retourner là-bas!

— Mais qu'est-ce qui t'arrive, mon petit? Chut! Ne dis plus un mot, tu risques de réveiller quelqu'un. Viens, passe par la fenêtre. Attends, le chien d'abord. Bon, à toi maintenant.

Edward se faufila à travers les barreaux. Il était inconsolable, mais il se savait désormais en sécurité. Sœur de la Charité le questionna, mais n'insista pas lorsqu'il lui dit qu'il avait promis de ne rien raconter. La sœur lui promit à son tour qu'elle allait s'occuper de lui, qu'elle ferait disparaître son dossier d'adoption et ses papiers d'état civil dès leur réception à l'orphelinat et qu'il n'aurait plus jamais à retourner chez le pasteur. Rassuré, le petit désespéré se blottit tout contre elle avec Robin lové dans ses bras et s'endormit. Elle le cacha dans sa cellule toute la journée suivante. Puis à la tombée de la nuit, elle le confia à sa cousine, une gentille vieille fille qui vivait seule et qui, malgré le fait qu'elle ne croyait pas en Dieu, avait su gagner l'estime et la confiance de Sœur de la Charité. Comme elle n'avait jamais eu la chance d'avoir d'enfant ni la possibilité d'en adopter un, elle accepta avec enthousiasme de prendre en charge l'éducation de ce petit garçon marqué par la vie.

Sous un faux nom, Edward put enfin grandir paisiblement.

*

* *

De retour maintenant...

— ... Et me voilà, votre humble serviteur. J'espère que vous avez apprécié ce petit voyage dans le temps, Monsieur le Directeur. Moi, ça m'a fait le plus grand bien de m'ouvrir ainsi. Tout bon psychanalyste vous dira que de parler résout tous les problèmes. Quelle bande d'imbéciles ! Est-ce que parler a résolu les problèmes d'Iris ? Hein, Monsieur le Directeur !

L'intrus empoigne le directeur par le collet, puis le relâche en apercevant les multiples fils auxquels il est branché.

— Votre moniteur fonctionne à plein régime.

— Non, non ! arrêtez, arrêtez ! Je ne veux plus rien entendre ! Oubliez ça, oubliez ça, je ne veux plus rien entendre ! Taisez-vous, taisez-vous !

L'étranger le soulève de nouveau et approche son visage du sien.

— Mais ce n'est plus à moi de parler, c'est à vous, Monsieur le Directeur. Racontez-moi ce que vous avez fait à la petite Iris. Dites-le-moi, Monsieur le Directeur.

— Pitié! Pitié!

Le visiteur relâche le vieil homme qui retombe sur l'oreiller, les yeux pleins d'eau.

— Entre vous et moi, quel est le secret de votre immense succès auprès des innocentes petites filles? Car il faut bien le dire, vous avez eu sur elle un effet foudroyant, si vous me permettez l'expression. Lorsque la petite Iris est revenue de chez vous, elle était passablement esquintée. Vous êtes un horrible pervers, Monsieur le Directeur. Mais il y a quelque chose qui m'échappe. Comment se fait-il que la police n'ait pas fait d'enquête? Il y en a sûrement eu une.

— Non, pitié, pitié, ne me faites pas ça! Je veux tout oublier! Oublier tout ça!

— Allons, calmez-vous. Racontez-moi, je ne suis pas certain d'avoir bien compris. J'ai ma petite idée, il va sans dire… mais dites toujours. Comment se fait-il qu'il n'y ait pas eu d'arrestations?

— Mon Dieu, aidez-moi, aidez-moi!

L'intrus saisit de nouveau l'homme par la tête.

— Dieu ne peut plus rien pour vous!… Dites-moi, Monsieur le Directeur, comment il se fait qu'il n'y ait pas eu d'arrestations? N'y a-t-il pas eu la moindre enquête?

— Il y en a eu une! Il y en a eu une! répond le vieil homme.

L'individu le repose sur l'oreiller.

— Bon, c'est bien, racontez-moi tout.

— Le soir de sa mort, aux alentours de vingt-deux heures si je me souviens bien, Anna, la femme du pasteur, m'a donné un coup de fil pour m'informer que la fillette était morte… Non, non, laissez-moi tranquille ! Je ne veux pas me rappeler de tout ça.

Le vieil homme en larmes tourne péniblement sa tête de droite à gauche. L'étranger le saisit fortement par le collet.

— Vous allez parler, espèce de vieux salaud !

— Anna était hystérique et elle pleurait au téléphone.

L'intrus lâche sa prise. Le vieux retombe sur l'oreiller et reprend sa narration.

— Je lui ai dit qu'il fallait se calmer, ne pas s'énerver. Elle m'a dit qu'elle voulait laver la fillette. Je lui ai répondu que c'était une excellente idée. Le pasteur criait derrière elle : « Grouille-toi, va laver cette garce ! »…

38 ans plus tôt, Bifield, la suite…

Anna Barton laissa tomber le combiné et retourna dans la chambre s'occuper du corps de la fillette. Le pasteur reprit le téléphone.

— Je n'hésiterai pas à te balancer aux flics si tu ne trouves pas une solution !

Ballard était totalement dépassé. Il avait bu toute la soirée. Le pasteur hurlait à l'autre bout du fil.

— Alors, merde ! Qu'est-ce qu'on fait ?

— On n'a qu'à la balancer dans les ronces! cria Anna.

Le pasteur était furieux et engueula le directeur de plus belle.

— Tu avais besoin de l'abîmer comme ça? Hein? Tu avais besoin de lui faire ça? Elle était en parfait état quand on te l'a prêtée. Je vais te poursuivre, je vais la donner à bouffer aux porcs, et toi avec elle!

— Ferme-la! Quelqu'un va t'entendre, beugla Anna désemparée, en enlevant les vêtements du cadavre.

Aveuglé par la rage, le pasteur pointa du doigt la chambre d'Iris comme si sa femme pouvait le voir à travers le mur.

— Je vais te tuer, toi aussi!

— Reste calme, Charles! Il faut garder la tête froide. Reste calme! Reste calme, je t'en prie! supplia le directeur.

Le pasteur reprit ses esprits et passa sa main dans ses cheveux.

— D'accord, d'accord. La foutre dans les ronces, c'est peut-être une bonne idée, finalement.

Ballard trouvait l'idée totalement stupide et beaucoup trop risquée, car la fillette était bien amochée et couverte de plaies. Il était évident qu'elle avait été battue. Ballard avait consommé un mélange de drogues et d'alcool avant l'arrivée de sa victime, ce qui l'avait rendu passablement agressif.

— Je préfère ton idée de la donner à manger aux cochons.

— Mais on n'a pas de cochons! Je n'ai pas de cochons et tu n'as pas de cochons! Tu nous vois aller demander à un fermier : « Pardon, Monsieur l'Agriculteur ! Est-ce qu'on pourrait vous laisser un cadavre de fillette pour que vous le donniez à bouffer à vos porcs ? », hurla le pasteur, l'écume aux lèvres.

Ballard tournait en rond dans son salon.

— D'accord, d'accord, tu as raison. Calme-toi, calme-toi que je pense une minute… Les loups, voilà la solution ! Il faut la donner à manger aux loups.

— Bonne idée ! Le seul problème, c'est qu'on ne peut pas être sûr que les loups vont trouver la fillette avant les policiers. Et puis tu sais où se cachent ces damnés loups, Monsieur le Directeur d'école ?

— Non.

— Oh, comme c'est dommage ! On n'aurait eu qu'à aller leur balancer la fillette, se moqua le pasteur.

Découragé, Ballard s'assit dans son fauteuil. Son regard tomba sur le journal qui traînait sur la table du salon. Il titrait : *Maniaque sanguinaire*. Le tortionnaire le ramassa et entreprit la lecture de l'article. Il relatait le cas d'une jeune fille de quatorze ans qui avait été retrouvée morte, au bord d'une falaise située aux confins d'une forêt. Elle était pieds et poings liés, nue et couverte de meurtrissures. L'auteur du texte décrivait en détail les sévices que la victime avait subis, et même la façon dont la corde avait été nouée. Ballard venait de trouver la solution à leur problème.

— Ne bougez pas, j'arrive !

Le journal à la main, Ballard descendit au sous-sol, ramassa ses outils, sauta dans sa voiture et fila chez le pasteur. Il entra sans sonner, affublé de sa quincaillerie.

— Où est la fillette ?

Anna le conduisit à la chambre à coucher. Elle venait tout juste de finir de laver la petite dépouille. Ballard descendit le corps dans la cave. Anna le suivit et recouvrit le plancher d'une nappe en papier.

— Il faut respecter à la lettre la description dans le journal, expliqua le directeur en y déposant la fillette.

La jeune fille découverte au sommet de la falaise avait été rouée de coups et ses cheveux, arrachés sur toute la surface de l'occiput. Ballard tourna le corps d'Iris sur le ventre et Anna commença à lui arracher les cheveux. Elle se mit à sangloter, se releva et vomit. Le directeur prit la relève et lui fit une tonsure semblable à l'autre fille.

Puis il retourna le corps sur le dos et sortit ses pinces pour lui extirper les mamelons, comme l'avait décrit le journaliste. Il ouvrit ses pinces et les referma sur un mamelon, mais envahi par le dégoût, il fut incapable de tirer. Le pasteur lui allongea une claque derrière la tête.

— Lève-toi, espèce de pédé !

Le directeur, qui était assis à califourchon sur la fillette, se leva. Le pasteur lui prit les pinces des mains, s'accroupit à côté du corps de la fillette, serra le mamelon et tira. Le corps se souleva du sol. Lorsque la peau commença à se déchirer tout autour du mamelon, le ministre du Culte eut un haut-le-cœur à son tour et se leva précipitamment. Il se joignit à Anna et les deux époux vomirent en chœur. Il ne restait plus que Ballard pour achever le travail. Comprenant qu'il allait devoir s'exécuter, il se mit à suer à grosses gouttes, puis à chialer comme un bébé. Il noua de la ficelle aux extrémités des branches de ses lunettes et les attacha derrière la tête pour éviter qu'elles ne tombent. Il reprit les pinces, s'assit de nouveau sur le petit corps et arracha les deux mamelons en marmonnant.

— Mais comme si ce n'était pas assez, ce cinglé l'a massacrée. Ce maniaque lui a crevé les yeux avec des ronces. Douglas, va me chercher des ronces et apporte-moi de la corde de chanvre ! hurla-t-il. D'après les policiers, le dingue s'en est servi pour attacher sa victime.

— Je n'en ai pas ici. Il y a bien de la corde à l'église, mais je ne sais pas si elle est en chanvre. Je m'en sers pour faire sonner les cloches, articule péniblement le pasteur.

— Merde, n'importe quelle corde fera l'affaire ! Si tu n'en as pas en chanvre, une en nylon fera pareil. Alors, qu'est-ce que tu attends ?

Toujours paralysé par l'horreur de leur macabre besogne, le pasteur était prostré. Anna s'énerva à son tour. Elle se mit à crier et à marteler son mari à coups de pieds. Le pasteur s'écroula dans les vomissures et ses pleurs reprirent de plus belle.

— Excuse-moi ! Excuse-moi ! Excuse-moi !

Sa femme le frappait de plus en plus fort en hurlant.

— Bouge-toi, salaud ! Bouge-toi ! Bouge-toi !

Ballard se précipita sur Anna et tenta de l'éloigner en la tirant par les bras, mais elle s'accrocha à une barre fixée au mur. Le pasteur s'agrippa à sa robe, se releva et l'empoigna par la gorge. Ballard la relâcha et le pasteur en profita pour la jeter au sol, s'assit à califourchon sur elle et lui enserra le cou. Ballard comprit qu'elle allait y passer. Il prit à son tour le pasteur par le cou, sans réussir à lui faire lâcher prise. Le visage d'Anna passait du rouge au bleu. Le directeur se retourna et aperçut un bâton de baseball. Il le souleva à deux mains et frappa le pasteur qui s'évanouit et tomba sur Anna. Cette dernière le repoussa sur le côté et reprit son souffle peu à peu.

— Merde, je l'ai tué ! s'écria Ballard, certain de lui avoir porté un coup fatal à la tête.

Mais en fait, il l'avait frappé sur les épaules. Le pasteur revint à lui et tout le monde se calma. Le temps pressant, les trois meurtriers se remirent à la tâche sans mot dire. Le pasteur prit sa voiture et alla chercher de la corde à l'église. Sa femme sortit ramasser des ronces et Ballard reprit sa lecture.

Le maniaque avait découpé les organes génitaux de l'adolescente. Les policiers n'avaient trouvé ni les organes ni l'objet tranchant utilisé pour l'opération. Ballard commença donc à s'exécuter sur la petite Iris. Il tremblait tant et si bien qu'il lui taillada l'intérieur des cuisses. Quand le pasteur et sa femme furent de retour, ils attachèrent la fillette conformément au récit et Ballard creva les yeux d'Iris avec les ronces. Anna commença à tout nettoyer pendant que le pasteur et le directeur hissaient le cadavre dans la voiture. Puis les deux hommes foncèrent dans la nuit sur plusieurs kilomètres avant de s'immobiliser. Ils sortirent le cadavre, le roulèrent dans l'herbe avec leurs pieds, le farcirent de feuillage et l'abandonnèrent à l'orée du bois, là où la forêt était clairsemée, car ils voulaient que le corps soit visible du chemin. Quelques kilomètres plus loin, ils enterrèrent les outils et les organes d'Iris, se rappelant qu'on n'avait pas retrouvé ceux de l'adolescente torturée.

Trois quarts d'heure plus tard, ils étaient de retour chez le pasteur. Sa femme avait tout lavé à grande eau. Ballard sortit de sa voiture un grand sac de jute pour y jeter tous les produits, brosses, chiffons et autres objets qui avaient servi au ménage. Puis, tour à tour, ils se dévêtirent dans la baignoire pour éviter d'éparpiller les débris qui auraient pu tomber de leurs vêtements et prirent leur douche. Les vêtements prirent le chemin du sac de jute, chaussures y comprises. Anna retira les draps et les couvertures du lit de la martyre et les jeta également pendant que le pasteur allait chercher des vêtements propres pour Ballard. Une fois le sac rempli, Ballard rentra chez lui et brûla le tout dans son foyer.

Il avait été convenu qu'Anna appellerait le shérif une heure plus tard afin de laisser le temps aux preuves de disparaître, aux cheveux de sécher et à la sueur de réapparaître sur les visages. Alerté, le shérif arriva sur les lieux en quelques minutes et fit le tour de la maison, à la recherche de la fillette. Le pasteur et sa femme étaient en pleurs. Ils n'avaient aucun mal à démontrer qu'ils étaient bouleversés après la soirée qu'ils venaient de passer. Le shérif interrogea le pasteur qui raconta l'histoire qu'ils avaient forgée et répétée mille fois avec le directeur avant son départ :

— Nous avons laissé Iris jouer dehors, mais comme ma femme et moi préparions le discours du prochain office, nous n'avons pas vu le temps passer. Lorsque nous sommes sortis pour aller la chercher, elle avait disparu. Ma femme vous a alors tout de suite alerté.

J'espère qu'il ne lui est rien arrivé, conclut le pasteur avant de fondre en larmes...

*

* *

De retour maintenant...

Ballard a la bouche sèche, mais il continue tout de même son récit.

— ... Il y avait toi aussi, mais personne ne savait que tu existais, mis à part la secrétaire et ton enseignante. Je n'ai eu qu'à leur raconter que des gens de ta famille t'avaient réclamé. On avait donc décidé de ne pas parler de toi au shérif. Anna t'avait cherché dans tous les recoins de la maison et aux alentours pendant que le pasteur et moi disposions du corps d'Iris. Une fois de retour, comme elle ne t'avait toujours pas retrouvé, on avait pris le pari que les policiers ne te trouveraient pas non plus cette nuit-là. De plus, nous croyions que le shérif n'aurait jamais à étendre son enquête jusqu'à l'orphelinat, car selon notre évaluation, il devrait retrouver le corps d'Iris d'ici au lendemain. Mais ce fut encore plus rapide que cela. À peine le shérif avait-il eu le temps de signaler la disparition d'Iris qu'il reçut un appel de la police d'État qui venait de retrouver le cadavre de la fillette. Le shérif amena le pasteur sur les lieux pour l'identification du corps. Pendant ce temps, je ressassais inlassablement le déroulement de la soirée et j'en arrivais toujours à la même conclusion, notre crime était loin d'être parfait. Nous avions été trop minutieux pour certaines choses, pas assez pour d'autres et désordonnés dans notre démarche. Mais, devant la similitude du meurtre d'Iris et de celui de la jeune adolescente découverte la veille, les autorités policières conclurent qu'ils avaient été commis par le même tueur. Ils le baptisèrent alors *Le Tueur de la 495*. De plus, comme le shérif était le cousin d'Anna et qu'il partageait sa peine, l'enquête prit une bonne tangente pour nous. Les deux ou trois jours qui suivirent furent, certes, terrifiants, car on se demandait sans cesse si tu allais réapparaître. Dans ce cas, on n'aurait pas eu le choix... et lorsque l'orphelinat aurait appelé pour signer les papiers d'adoption, le pasteur y serait allé comme si de rien n'était... et l'on aurait fait avec. Mais on a fini par croire que le tueur t'avait fait la peau ou que les loups t'avaient dévoré. On ne comprit jamais pourquoi l'orphelinat n'avait à aucun moment téléphoné pour demander au pasteur d'aller signer les fameux papiers... Ironiquement, comme il était pasteur et qu'Iris fut la seule fille du village à périr de la sorte, les citoyens tinrent à ce qu'il y ait des cérémonies commémoratives annuelles à sa mémoire. Année après année, Anna vomissait pendant l'oraison du pasteur. Huit ans plus tard, jour pour jour, elle ne se présenta pas à l'église pour la cérémonie. Elle se rendit à la falaise où l'on avait trouvé le corps de l'adolescente et avala un flacon de barbituriques avant de se jeter dans le vide. Iris aurait eu quatorze ans à l'époque, le même âge que la jeune fille au jour de sa mort.

Un lourd silence s'installe entre les deux hommes.

— Merci de votre franchise, Monsieur le Directeur.

Le visiteur empoigne un oreiller placé au pied du lit et s'approche du visage du vieil homme. Voyant sa fin proche, le directeur implore le pardon.

— Attendez! Attendez! Nous n'avons plus jamais touché à un enfant après cette terrible soirée.

Le justicier interrompt son geste.

— C'est vrai?

Croyant déceler ce qu'il interprète comme un début d'absolution, le directeur renchérit, un trémolo dans la voix.

— Nous n'avons plus rien fait de mal, je vous le jure! Cette effroyable nuit fut un épouvantable cauchemar. C'était pire que tout. Plus rien n'a jamais été pareil après ce soir-là et Anna ne m'a plus adressé la parole jusqu'à sa mort. Cette horrible histoire m'a hanté toute ma vie, croyez-moi! Je revois toujours la scène comme si c'était hier.

Le visiteur retourne au pied du lit et y dépose l'oreiller. Ses mains se détendent peu à peu.

— Vous êtes-vous rendus à la police?

— Non.

— Dommage, les véritables repentants le font, eux. Vous auriez dû, vous m'auriez épargné cette peine.

Le bourreau reprend l'oreiller, se retourne et le soulève au-dessus du visage du directeur. Quand il comprend que l'étranger s'apprête à mettre fin à sa triste existence, le directeur esquisse un sourire de soulagement. Cet air de délivrance n'échappe pas à son bourreau qui le prend comme une insulte à son intelligence. Il n'est pas venu ici pour alléger les souffrances d'un vieux satyre dégénéré, mais bien pour exécuter son travail. Il entend alors un grognement derrière le rideau.

— Je crois que nous avons un ami commun, confie-t-il d'un ton enjoué.

L'intrus dépose l'oreiller au pied du lit et ouvre le rideau. Le directeur est terrifié à la vue de l'aliéné qui se balance toujours, ligoté sur sa chaise. Il écarquille les yeux.

— Non, non, ne faites pas ça ! Pitié !

Le vengeur se dirige vers le schizophrène catatonique qui ne cesse de bouger son bras droit de haut en bas, malgré les liens de cuir qui le retiennent à l'accoudoir. L'étranger se penche et le regarde droit dans les yeux.

— Tu vas être sage, n'est-ce pas ?

Il dénoue les liens du pauvre homme qui reste assis. Seul le mouvement incessant de son bras droit s'amplifie.

— À voir ton regard toujours dirigé vers notre bon vieux directeur d'école, je crois qu'il t'inspire. Je vais t'aider.

Il lève le patient qui a les jambes ankylosées.

— Là, voilà, un pied devant l'autre.

Il le dirige vers le lit du directeur en évitant de se retrouver sur la trajectoire du bras droit de plus en plus vaillant. Il l'installe à la tête du lit de Ballard de façon à ce que sa main droite atterrisse sur le visage du directeur. Comme ce dernier est paraplégique, il ne peut que tourner légèrement la tête de droite à gauche pour esquiver les coups. Mais cette parade est bien insuffisante.

— Non, non, ne le laissez pas là, gémit le directeur.

L'étranger sort alors de sa poche le couteau à lames interchangeables emprunté au poste de garde.

— Je crois qu'avec cela, ce sera beaucoup plus amusant, assure-t-il à son nouvel ami.

Il tente en vain d'insérer le couteau dans le poing du schizophrène. Le rythme cardiaque du directeur s'affole. Le médecin improvisé débranche aussitôt de la poitrine du directeur les fils du moniteur et les applique sur la sienne. Puis il se dirige vers le lit voisin et transfère les électrodes sur le patient sous sédatifs qui dort paisiblement.

— Il ne faudrait pas qu'une crise cardiaque vienne déclencher l'alarme, explique-t-il complaisamment au directeur.

L'intrus prend alors un carré de beurre sur la commode du patient endormi.

— Nous avons là tout ce qu'il nous faut.

Il se retourne vers le catatonique, lui maintient fermement le bras contre le lit, étale le beurre sur son poing et y insère le couteau. Puis il remet le bras en position au-dessus du visage de l'infirme. L'aliéné frappe sans relâche le visage du vieux directeur qui tente désespérément de crier d'une voix qui ne porte plus. Le sang gicle et le vieil homme immobile entre en fibrillation.

Le visiteur tire alors le rideau.

— Bonne soirée, les amis ! Soyez sages ! Edward McBerry vous salue !

27

Samedi, 13 h...

Fourbu, Seward dépose son dossier, se lève et ouvre le réfrigérateur. Il constate qu'il n'a plus de lait et qu'il ne lui reste plus qu'une seule tranche de pain et un pot de jus d'orange largement entamé. Il engloutit la tranche de pain froide et la fait descendre avec un verre de jus. Il se rappelle alors qu'il dispose d'une voiture du FBI. Après la journée de la veille, cloîtré dans son appartement à lire et à relire les rapports relatifs aux meurtres qui le hantent et à attendre en vain un appel de Jamison ou de Jarvis, il se dit que sortir prendre l'air lui fera le plus grand bien. Il en profitera pour aller au supermarché acheter tout ce dont il aura besoin pour se faire un bon petit gueuleton.

Après s'être ébroué sous la douche une bonne quinzaine de minutes, il enfile un tee-shirt et un jean, attrape au vol son arme, son portable, une paire de menottes et sa plaque, et file vers sa voiture. En route, il décide d'utiliser son nouvel appareil pour joindre Jarvis qui occupe toujours ses pensées.

La jeune femme s'apprête à essayer une robe de soirée noire des plus classiques, fendue sur un côté jusqu'à la cuisse et au corsage décolleté monté sur deux fines bretelles. Une robe de satin, de celle que les femmes aiment porter directement sur la peau afin de jouir pleinement des vertus du tissu. Jarvis enlève ses sous-vêtements et l'enfile. Une vendeuse aux doigts de fée l'assiste. Elle s'installe derrière elle, prend les bretelles et ajuste le corsage.

— Voilà. Une petite pince ici et vous les ferez tous damner ! s'exclame-t-elle en piquant une aiguille dans le frêle tissu.

Jarvis contemple sa silhouette dans le miroir. Son corps est mince et bien proportionné, et la robe lui va à ravir. Elle esquisse un sourire.

— *Jamison sera fier de m'avoir invitée*, pense-t-elle.

Son portable se met à sonner. Elle plonge la main dans son sac pendu à un crochet et en ressort l'objet bruyant.

— Agent spécial Jarvis, j'écoute !

— Nicole, c'est Simon. Ça va ?... Je voulais te dire que j'ai encore la voiture...

— Quoi ? Ah oui ! Ce n'est pas grave, Jamison m'a dit que je pouvais la garder. Il l'a inscrite à mon nom jusqu'à lundi, huit heures. Tu ne vas pas au

Bureau, j'espère? Jamison a bien dit qu'il ne voulait pas que tu y mettes les pieds avant lundi.

La vendeuse approche ses lèvres de l'oreille de Jarvis.

— Je vais aller vous chercher des escarpins assortis. À tout de suite.

À l'autre bout du fil, Seward enchaîne.

— Je sais, je sais. Qu'est-ce que tu fais ce soir, est-ce que tu veux sortir?

— Non, désolée. Tu es gentil, mais Jamison m'a invitée à une soirée de gros bonnets, une sorte de banquet où l'on parle de budget, de politique et de tout le tralala. On aura droit à une petite cérémonie de félicitations pour avoir trouvé le tueur en série. Jamison ne veut pas que sa capture lui soit attribuée. Il préfère que ce soit moi qui sois félicitée. Il dit que ça va être bon pour ma carrière... Mais ne t'inquiète pas, tu auras ta part du gâteau. Je dirai un bon mot pour toi...

— Quoi, ils ont cru à cette histoire? Ils croient vraiment que c'est ce pédophile minable qui a commis tous ces meurtres?

La vendeuse revient en tenant une paire de magnifiques escarpins noirs, un dans chaque main. Elle les présente à Jarvis en les agitant sous son menton. Ravie, Jarvis hoche la tête de haut en bas en souriant. Puis elle reprend la discussion.

— Bien sûr que non! Mais pour l'instant, ça fait l'affaire de tout le monde. Nous sommes en pleine période budgétaire et les pontes de Washington veulent des résultats. Je vais là-bas cueillir quelques

félicitations pour la mort de ce dingue et… et c'est ça.
Bon, je dois te laisser…

La vendeuse se penche et lui enfile les chaussures.
Jarvis étend la jambe et contemple son pied pointé que
les brides mettent en valeur. Les propos de Seward
lui pèsent de plus en plus et gâchent le plaisir de
l'essayage.

— … Salut, Simon !

— Non, mais attends. Tu ne vois pas que Jamison
t'utilise ! insiste Seward qui ignore à quel point son
appel irrite Jarvis.

— Je n'ai pas le temps ! Je suis en train d'essayer
une robe dans une boutique. D'accord ?

Jarvis pousse un long soupir, se calme, puis se
résigne à lui accorder encore quelques minutes.

— Tu as trouvé quelque chose à l'orphelinat ?

— Non.

— Tu n'as pas parlé à la petite ?

— Oui, mais je n'ai rien appris de nouveau, mis à
part que cet orphelinat m'a semblé bizarre.

— Oh ! Avec toi, tout est toujours bizarre. Bon, on
se rappellera plus tard !

— Nicole, Nicole… Tu n'as pas reçu mon message
hier ? Pourquoi ne m'as-tu pas rappelé ?

— Aïe ! Tu n'es pas ma mère… Je n'ai pas eu le
temps, d'accord ?

— D'accord. Excuse-moi, Nicole. De ton côté,
est-ce que tu as du nouveau ?

— Un peu. Jeudi soir, après ton départ d'Hagerstown,
j'ai voulu aller voir Jamison pour qu'il m'autorise à
suivre Bob, avoue Jarvis du bout des lèvres.

— Tu as filé Bob ?

— Attends !... Jamison était tellement furieux de ton esclandre public que, dès que j'ai croisé son regard, j'ai fait demi-tour sans demander mon reste. J'ai alors pensé me rabattre sur Castelli, puisque c'est avec lui que je fais équipe. Enfin, qui me supervise...

— Qu'est-ce qu'il t'a dit ?

— Comme il était content de ma contribution à l'analyse du meurtre du pasteur de Bifield...

— Le meurtre de Bifield, vous avez trouvé quelque chose ?

— Non, c'est le noir total. La violence utilisée est sans précédent, il est impossible pour le moment d'associer ce meurtre à un autre...

— O.K., continue.

— Bref, Castelli m'a donné le feu vert pour que je prenne Bob en filature... mais à ses conditions. Comme il ne voulait pas que je coure le moindre risque et qu'il sait que Bob est un vieux renard, il m'a prêté sa voiture personnelle. Comme ça, m'a-t-il dit, si Bob me repérait et relevait ma plaque, il saurait tout de suite à qui il avait affaire et il y penserait à deux fois avant de s'attaquer à moi. Je devais faire un rapport à Castelli lui-même toutes les deux heures et il m'avait strictement défendu d'intervenir sans son accord préalable, quoi qu'il advienne. Et si je me sentais découverte, je devais me replier et l'en informer aussitôt.

— Tu as réussi à le suivre ?

— Tu veux rire ! Il n'a pas dépassé une seule fois la vitesse permise, il clignote toujours avant de changer de voie et, quand il marque ses stops, il regarde

consciencieusement à droite et à gauche avant de
repartir… Alors, tu parles si j'ai réussi à le suivre ! Dès
qu'il a quitté Hagerstown, à dix-neuf heures jeudi, je ne
l'ai plus lâché d'une semelle.

— Raconte, raconte !

— Il s'est rendu jusqu'à Augusta dans le Maine. Il
est d'abord allé se recueillir sur un monument érigé en
mémoire des officiers qui ont glorieusement servi leur
pays. Ensuite, il a dormi deux heures dans sa voiture.
Le lendemain, il a fait un tour dans un quartier huppé
de Boston. Là, on se serait vraiment cru en patrouille.
Après, il est allé rôder au centre-ville. Il s'est enfin garé
près de la bibliothèque, y est entré un moment, puis s'est
rendu à pied jusqu'à l'université où il a discuté avec un
jeune homme à l'air triste.

— Tu as pu parler à ce jeune homme ?

— Non. Mais il était avec des amis qui l'ont quitté
à l'arrivée de Bob. Alors j'ai attendu qu'ils s'éloignent
un peu et j'ai interpellé l'un d'eux. L'air de rien, je lui
ai demandé si leur copain allait venir et il m'a répondu :
qui ça ? Blair Dexter ? J'ai répondu oui. Je lui ai dit que
je le trouvais bien mignon, mais qu'il avait l'air si triste.
Il m'a confié que c'était à cause d'une fille qui s'était
suicidée le vendredi précédent. Il a ajouté que Dexter
n'avait pas de copine et que j'avais une chance, enfin
bref…

— Qu'est-ce que c'est que cette histoire ?

— Je n'en sais foutrement rien, Simon, mais toujours est-il que Bob s'est éclipsé juste après avoir parlé
avec ce Blair Dexter. Et là, j'ai failli le perdre tant il
marchait vite, mais j'ai quand même réussi à poursuivre

ma filature. Il s'est arrêté à une cabine téléphonique, a décroché le combiné, l'a reposé sur son support sans avoir composé de numéro et est reparti. Je l'ai quitté lorsqu'il reprenait la route en fin de soirée.

— Quoi ? tu l'as quitté ?

— Oui. Castelli m'avait bien précisé que je devrais lâcher ma cible au plus tard vendredi à vingt heures et revenir immédiatement au Bureau. De toute façon, j'étais exténuée. Ce mec, c'est un vrai routier.

— Et Bob ?

— Lorsque je l'ai laissé, il prenait la route pour Salem ou pour Greenwich. Bref, rien de bien intéressant à part le fait que j'ai perdu une journée de travail et que je risque de me mettre Jamison à dos s'il apprend que j'ai talonné un shérif adjoint qui a près de trente ans de bons et loyaux services.

— Merde, Nicole ! Arrête ça !…

— C'est ça, tu me rappelles !

— Nicole ! Nicole ! Attends !

Mais celle-ci a déjà raccroché. Furieux, Seward en oublie l'enquête et s'interroge sur les réelles motivations de sa partenaire. À l'évidence, Jarvis recherche les honneurs. Il se rappelle les propos de Conway à son sujet : *une narcissique sans affect.*

De son côté, Jarvis enfonce son portable dans son sac à main et esquisse un pas en arrière pour voir ses pieds dans le miroir. La vendeuse relève la tête.

— Vous êtes adorable là-dedans, un rien vous habille ! Il n'y a qu'une légère retouche à faire aux bretelles et le tour est joué, dit-elle en se passant la main dans les cheveux.

Jarvis jette un dernier coup d'œil à son reflet.

— Si je la prends, pouvez-vous me la préparer pour ce soir?

La vendeuse lui retourne un sourire complice.

— Si vous me la confiez tout de suite et que vous m'attendez ici…, disons que je pourrais la faire sur-le-champ.

Jarvis descend sa fermeture à glissière, croise ses bras devant sa poitrine et baisse les bretelles de son corsage. La robe glisse le long du corps et termine sa course à ses pieds où la vendeuse la ramasse.

— Je suis de retour le temps de le dire.

— Je ne bouge pas d'ici. De toute façon, je n'irais pas bien loin dans cette tenue!

Les deux filles éclatent de rire.

*

* *

Perdu dans ses pensées, Seward se gare devant le supermarché. Il entre, choisit un chariot et se dirige vers la première allée. Il est en arrêt devant un étalage de conserves de thon lorsqu'il entend crier un enfant. Il se retourne et aperçoit un homme qui empoigne une fillette par les bras. Seward observe la scène un moment, puis se tourne de nouveau vers l'étalage. Mais l'enfant hurle de plus belle. Il n'en faut pas plus pour l'irriter. Il lance une boîte de thon dans son chariot et se dirige tout droit vers la fillette. L'homme, qui n'a pas vu Seward arriver, est en train de la secouer violemment.

— Arrêtez ça! s'écrie Seward.

L'individu relâche la fillette qui tombe par terre. La petite se relève et s'enfuit en criant.

— Maman! Maman!

L'homme s'apprête à la pourchasser, mais Seward lui barre la route.

— Poussez-vous! rugit l'individu.

— Calmez-vous, Monsieur. Vous êtes dans un lieu public.

— Quoi! Mêlez-vous de vos affaires, Monsieur. Cette enfant est à moi, j'ai tous les droits. Vous verrez ce que c'est quand vous en aurez vous aussi, jeune homme! Pour l'instant, écartez-vous de mon chemin!

Seward écoute distraitement tout en suivant du regard la fillette qui essaie de se frayer un chemin dans l'allée bondée de clients. À l'extrémité de l'allée, elle heurte un homme. Ce dernier se penche et se met à discuter avec elle. Son allure est familière à Seward, mais il est accroupi à bonne distance et les clients l'empêchent de le distinguer correctement. L'homme s'entretient avec la fillette qui arrête peu à peu de pleurer. Soudain, la gamine aperçoit sa mère qui la cherche.

— Maman! s'écrie-t-elle, en la pointant du doigt.

L'homme caresse la tête de la fillette, lui fait un large sourire et s'empresse de disparaître dans une autre allée. La petite fille tend les bras à sa mère, mais cette dernière se contente de la saisir sèchement par la main et de la tirer vers les deux belligérants qui s'affrontent de plus belle.

— Qu'est-ce que tu fais? s'exclame la femme en arrivant près des deux protagonistes.

— C'est votre mari? questionne Seward.

— Je vous ai déjà dit de vous mêler de vos affaires !
répond la brute.

— Calme-toi, tu me fais honte. Tu fais toujours
l'idiot en public ! réplique la femme.

— Quoi ? gueule de plus belle son époux.

Il saisit sa femme par le bras et la repousse
violemment. Celle-ci trébuche et s'affaisse sur le sol.
Terrorisée, l'enfant se met à hurler. Seward se jette alors
sur l'homme.

— Ça suffit ! Agent spécial Seward, FBI. Je vous
arrête pour voies de fait et désordre public !

— Quoi ? Non, trou du c…, tu n'arrêtes personne.
Lâche-moi, qu'est-ce que tu fais, je suis le sénateur
Bighter ! J'ai un avion à prendre demain, je dois me
rendre à Mexico. Je n'ai pas de temps à perdre avec tes
conneries !

Seward lui passe les menottes et sort du supermarché avec son prisonnier. Il appuie le suspect contre
la voiture pendant qu'il cherche ses clefs dans sa poche.
Il les saisit et déverrouille la portière.

— Vous avez le droit de garder le silence…

— Téléphone à Paul, ma chérie. Vous faites une
grave erreur, Officier !

La mère secoue la fillette.

— Tu es une vilaine petite fille, tu fais honte à tes
parents en public. Un jour, on te placera à l'orphelinat.
Eux, ils savent corriger les mauvaises filles comme toi.
Attends un peu qu'on arrive à la maison.

La femme relâche la fillette, sort son portable de
son sac à main et compose un numéro. Elle entame la
conversation, puis se retourne vers Seward.

— Quel est votre nom, Officier ?

Seward est en train de vérifier l'identité et l'adresse du sénateur sur son permis de conduire. Il est surpris par la question de la femme.

— Pardon ?

Le sénateur répète la question de sa femme.

— Oui, elle voudrait savoir votre nom complet, Monsieur l'Agent.

— Simon Seward.

La femme répète le nom dans son portable.

— Quel est votre corps policier et qui est votre supérieur ?

Seward replace le portefeuille du sénateur là où il l'a trouvé.

— Mon quoi ? FBI. Jamison.

Le sénateur éclate de rire.

— Pas Craig Jamison, au moins ?

— Oui, c'est ça.

La femme répète l'information dans son portable puis raccroche. Seward est un peu désemparé. Il sent que son prisonnier cherche à gagner du temps et note son large sourire de satisfaction. Il ouvre la portière arrière de sa voiture et saisit le sénateur par le bras, mais ce dernier ne bouge pas et continue de sourire.

— Vous avez un portable sur vous, j'espère, Monsieur l'Agent spécial ?

— Oui, pourquoi ?

— Parce qu'il sonne !

Seward porte machinalement la main à la poche arrière de son pantalon, mais il n'entend rien. Il se retourne vers le sénateur qui exhibe toujours le même sourire.

— C'est bon, assez rigolé, montez dans la voiture sans faire d'histoires. Ne me forcez…

Le portable de Seward se met à sonner. Le sénateur pouffe de rire.

— Je vous l'avais bien dit !

Seward sort le petit appareil de sa poche.

— Agent spé… Bonjour, Monsieur Jamison… oui… mais… à vos ordres… désolé… bien.

On peut entendre Jamison hurler à travers l'appareil. Le sénateur se mord les lèvres. Le monologue de Jamison n'a duré que quelques secondes. En moins de dix phrases, il vient d'informer Seward que son accréditation du FBI est suspendue sur-le-champ pour une durée indéterminée et qu'il doit relâcher le sénateur immédiatement. Seward raccroche et détache les menottes. Le sénateur est si ravi de la réaction de Jamison qu'il s'éloigne sans mot dire en direction de sa voiture. Il fait signe à sa femme et à sa fille d'y monter. La femme s'assoit à l'avant et la fillette en larmes monte à l'arrière. Déconfit, Seward regarde partir son prisonnier.

28

Samedi, en fin d'après-midi...

Désabusé, Seward rentre chez lui les mains vides. Il claque la porte, lance ses clefs sur le comptoir de la cuisine, sort son arme, sa plaque, ses menottes et son portable et les envoie rejoindre les clefs. Il ouvre son réfrigérateur, empoigne le seul produit qui s'y trouve, son pot de jus, s'en verse un grand verre et passe au salon. Il s'affale dans son fauteuil, attrape la télécommande et allume le téléviseur. Il zappe compulsivement et s'arrête sur une émission culturelle qui vient de commencer.

— ... Ce soir, à *Personnalité*, nous recevons le professeur Auguste Neumann. Monsieur Neumann, vous enseignez à l'université de Boston et vous êtes l'auteur d'un ouvrage sur la psychanalyse. Vous avez créé un fonds d'aide aux familles victimes d'actes de violence, vous financez généreusement divers centres de femmes, vous donnez à des maisons d'hébergement pour jeunes filles monoparentales et vous dirigez vous-mêmes quatre orphelinats. Vous êtes philanthrope, beau, séduisant, riche, très riche, intelligent, non-fumeur, vous n'avez aucun défaut. Comment se fait-il que vous soyez toujours célibataire ? Ne répondez pas tout de suite ! lance l'animatrice en riant. Messieurs, n'écoutez pas la suite. Toutes les femmes de ce pays rêvent d'un homme comme lui.

Les femmes de l'assistance se mettent à applaudir. L'animatrice enchaîne.

— Oui ! Existe-t-il une lotion pour que nous puissions y tremper nos hommes afin qu'ils deviennent comme vous ?

— Je les ai toutes achetées ! répond Neumann du tac au tac.

Les femmes applaudissent de plus belle. L'animatrice lève les bras au ciel.

— Mon Dieu ! Il est vraiment parfait. Vous êtes fantastique !… Mais soyons plus sérieux et venons-en à ce qui vous amène ici ce soir. Vous venez nous annoncer que vous allez prendre l'avion en partance de Washington pour…

Le portable de Seward sonne. Ce dernier se lève pour aller répondre pendant que l'animatrice poursuit.

— … inaugurer un nouvel orphelinat à Rio, au Brésil.

— Oui, mais je ne serai là qu'à titre de président d'honneur, je ne le dirigerai pas.

— J'ai entre mes mains la version portugaise de votre livre. Ce livre, vous l'avez déjà publié ici il y a quelques années?

— C'est bien ça, il y a trois ans déjà. Je profite de l'inauguration du nouvel orphelinat pour y effectuer le lancement de la version portugaise.

— Et pourquoi avez-vous choisi de le faire à l'orphelinat? Moi, je le sais, mais je suis sûre que les téléspectateurs aimeraient le savoir eux aussi.

— Non, ce n'est pas important.

— Allons, vous êtes trop modeste! Alors, je vais le dire moi-même: vous allez en profiter pour annoncer que vous vous engagez à faire don de cent milles dollars à l'orphelinat chaque année, et ce, pendant dix ans. N'est-ce pas merveilleux, Mesdames?

La foule se lève dans une ovation spontanée. Neumann est mal à l'aise.

— Non, ce n'est rien, merci, merci beaucoup.

Seward ouvre son portable.

— Oui, allo.

— Simon?

— Oui.

— C'est Denis.

— Salut! Comment vas-tu?

— Bien. Et toi?

— Pas trop, mais ça va s'arranger. Je regarde *Personnalité* à la télé. L'animatrice reçoit le professeur Neumann, c'est le directeur de l'orphelinat que j'ai visité hier…

— Oui! Je l'ai vu hier soir en direct. J'ai trouvé ça drôlement intéressant. Il a une théorie particulière. Tu vas aimer. Je voulais t'appeler hier, mais j'étais épuisé. Je suis au Bureau, j'ai reçu les résultats des tests du labo de Washington.

— Je ne fais plus partie de l'équipe d'enquêtes. Jamison ne m'a pas trop à la bonne ces temps-ci, mais donne toujours.

Seward est accoudé au comptoir de la cuisine. En bruit de fond, on peut entendre la suite de l'interview télévisée. Il retourne s'asseoir dans son fauteuil. Robinson reprend son souffle entre deux bouchées d'un sandwich qu'il avale goulûment sur le coin de son bureau.

— J'ai reçu l'analyse du sang retrouvé sur le fouet. Il ne s'agit pas du sang d'une des deux victimes, mais là, je ne t'apprends rien. Tu te tiens bien ? Ce n'est pas non plus le sang d'un homme, mais plutôt celui d'une autre femme.

— Quoi ? Une femme ?

— Oui, c'est ça. Ce sang provient d'une femme, mais il n'est pas fiché.

— Tu as autre chose ?

— Non, je n'ai rien de plus, mais avoue que c'est déjà pas mal !

— Tu parles !… Eh, j'y pense, je n'ai rien de prévu pour ce soir. Est-ce que tu veux qu'on se rejoigne au pub quand tu auras fini ?

— Comment vas-tu faire pour t'y rendre, tu n'as pas de voiture ?

— Si, j'en ai une du Bureau.

— Fantastique ! Je te rappelle quand j'aurai fini.

— Parfait !

— Mais ça risque d'être tard.

— Pas de problème, je reste ici devant mon téléviseur. J'attends ton appel.

— Ça marche, à tout à l'heure.

Seward raccroche. Surpris et intrigué par cette dernière découverte, il se replonge peu à peu dans son émission.

— La devise *Ici les enfants ne pleurent jamais* est impérative. Si l'orphelinat de Rio avait refusé de l'apposer sur les murs de son enceinte, je n'aurais jamais accepté de participer à leur mission.

— Maintenant, j'aimerais profiter de l'occasion pour aborder avec l'expert que vous êtes un domaine d'actualité. Professeur Neumann, je me permets de vous poser cette question, car je sais que vous vous spécialisez dans l'enseignement d'un secteur de la psychanalyse où très peu d'auteurs se sont aventurés avant vous. Je me suis laissé dire que parcourir votre livre permettait de mieux comprendre le comportement de certains criminels dangereux. Dans votre ouvrage, vous rattachez le comportement de l'Homme à sa place dans la chaîne alimentaire, et c'est à partir de cette réalité que vous avez élaboré la thérapie que vous utilisez pour soigner vos patients. Vous n'êtes pas sans savoir qu'un pédophile aurait commis une série de meurtres sur la côte Est, mettant en émoi la population. Pourriez-vous éclairer nos téléspectateurs sur ce qu'est un prédateur sexuel ?

— Tout d'abord, on ne devrait pas qualifier de prédateur un tel individu, car la notion même de prédateur dans le contexte d'un crime sexuel ou autre est dénuée de tout fondement. Dans la nature, un prédateur est un être qui fait le ménage au sein des diverses espèces, y compris la sienne, afin de garantir la viabilité de tous sur le territoire. Qualifier de prédateur un détraqué qui abuse d'un autre être vivant pour satisfaire son seul plaisir narcissique démontre une totale méconnaissance de la nature humaine.

Seward se lève d'un bond, fouille fébrilement dans sa bibliothèque et met enfin la main sur le livre du professeur Neumann, encore sous cellophane. Il l'a acheté à son entrée à l'Académie sur la recommandation d'un de ses profs. Mais débordé par ses études, il a toujours reporté sa lecture au lendemain jusqu'à en oublier son existence. Il se félicite de l'avoir sous la main à cet instant. Il défait l'emballage, se rassoit sur le bout du fauteuil et se met à le feuilleter, tout en écoutant la suite de l'émission.

— Un prédateur ne tue jamais par pur plaisir. Vos auditeurs n'ont donc rien à craindre d'un quelconque prédateur. Pour ce qui est du détraqué qui court actuellement, j'ai entendu dire, ici même sur vos ondes, que le FBI était sur une piste et en voie de résoudre l'énigme, si ce n'est déjà fait. Selon eux, il s'agirait bien d'un ex-pédophile.

— Mais comment un être humain peut-il en arriver à commettre des gestes aussi horribles que ceux perpétrés par ce tueur en série, puisque vous nous défendez maintenant de l'appeler prédateur ?

— Je recommande à vos téléspectateurs de lire mon ouvrage. Non, je blague ! Je comprends que, bien qu'ils sont des êtres sans intérêt, les tueurs en série passionnent l'opinion publique et jouissent d'une grande couverture médiatique. C'est qu'ils s'attaquent à des innocents sans réel besoin vital. Les gens ont peur et ils ne savent pas comment s'en prémunir. Voilà pourquoi ils veulent tant en apprendre sur eux.

— Continuez, je vous en prie, Professeur !

— Maintenant, pour répondre à votre question, nous allons commencer par le début. Un tueur en série n'est pas tueur en série à la naissance, il le devient. Il naît toujours avec une personnalité psychopathique, mais ce sont les mauvais traitements subis qui le feront passer à l'acte et devenir un psychopathe. Ces sévices proviennent de deux sources : familiale et sociale.

Commençons par la famille. La façon d'élever un enfant est primordiale. Les parents qui valorisent les mauvais comportements, punissent sans raison, favorisent un de leurs enfants au détriment d'un autre, utilisent la violence ou la menace soi-disant pour éduquer leur progéniture, infligent autant de blessures qui produisent des êtres perturbés. Les tueurs en séries sont tous des enfants maltraités dès l'enfance, dont 70 % l'ont été psychologiquement. Vous savez, il n'est pas nécessaire de battre ou d'abuser sexuellement un enfant pour le malmener. Il est surprenant de constater que, dans les ouvrages spécialisés, on invoque toujours les mauvais traitements comme point de départ de la pathologie, mais il n'y est jamais fait mention de l'impératif de bien soigner les enfants, les adultes de demain. Ils ne suggèrent pas non plus d'établir le profilage des parents qui produisent de tels monstres. C'est capturer Frankenstein et laisser le docteur Victor Frankenstein poursuivre son œuvre diabolique dans son château.

Dans le studio, on pourrait entendre voler une mouche. Passionné par son sujet, Neumann enchaîne sans plus attendre.

— Mais notre structure sociale est tout aussi dévastatrice pour les personnalités psychopathiques. Nous vivons dans une société où priment les valeurs économiques d'une minorité au détriment du respect des assises fondamentales de notre nature animale. Nos dirigeants se soucient peu du développement des individus qu'ils représentent. S'ils mettaient autant d'efforts à améliorer le bien-être de la collectivité qu'à se battre pour obtenir le pouvoir, nous n'en serions pas là. Vous savez, moult grands de ce monde naissent avec une personnalité psychopathique. Nous en connaissons tous. Ils sont vulgaires, méchants, misogynes, divisent les gens en classe sociale et ont des comportements agressifs. Mais leur situation sociale fait que peu d'entre eux en viendront à tuer, je vous le concède, car ils auraient trop à perdre.

— Monsieur Neumann, vous n'êtes pas un peu dur envers nos représentants?

— Peut-être un peu. Parmi les autres, ceux qui sont dotés de la même personnalité mais qui ne jouissent pas de privilèges socioéconomiques, certains frapperont et traiteront leurs semblables en esclaves; les complètement détraqués iront jusqu'à violer, torturer, assassiner, voire dévorer leurs congénères.

— Monsieur Neumann, les tueurs en série se ressemblent-ils tous ? demande l'animatrice, désorientée par les propos de son invité.

— Vous savez, il y a deux catégories de tueurs en série : les organisés et les inorganisés. Les organisés sont des psychopathes qui en veulent à la société de les considérer comme des gens normaux. Alors, ils nous trouvent stupides et se disent qu'ils peuvent tout nous faire. Ils sont souvent attirés par des professions qui leur permettent d'exercer un pouvoir sur les autres. Les gens disent d'eux qu'ils ont de la personnalité et du caractère, ce qui les rend encore plus agressifs ironiquement envers ceux-là mêmes qui les admirent. Quant aux tueurs inorganisés, ce sont des psychotiques. Ils détruisent tout, ils mutilent sauvagement. Ces gens devraient être soignés en établissement psychiatrique, mais notre société ne veut pas s'occuper d'eux. Alors, ils errent dans les rues et tuent en espérant qu'un jour on pourra les arrêter, car ils n'arrivent pas à se contrôler eux-mêmes. Ce ne sont que de pauvres diables qui ne tirent aucune grâce de leur monstruosité. Ils souffrent et entraînent d'innocentes victimes dans leur inlassable tourment. Dans les années 1990, un tueur de ce genre fut enfermé pour pédophilie au Canada. Sa peine terminée, il fut libéré alors qu'il suppliait les autorités de le garder en prison. Peu de temps après sa sortie, il assassina un enfant qui faisait de l'auto-stop. Vous voyez à quel point nous avons une responsabilité en tant qu'individu sur ce que sont et font les gens qui nous entourent…

Seward bondit de son fauteuil.

— Ils maltraitent les enfants ! Merde, l'émission est une reprise !

Il ramasse son fourbi, saisit ses clefs au vol et court jusqu'à sa voiture, pendant que Neumann poursuit son interview.

— Pour en finir avec ce triste sujet, j'ajouterai qu'on en vient à reconnaître un tueur en série en apprenant à déceler les multiples attitudes malsaines qui caractérisent la personnalité psychopathique. Faire attention à soi ! Voilà la clef. On évite de devenir une cible en écartant les gens malsains de notre vie. N'ouvrez jamais la porte à un inconnu, ne vous promenez jamais seul la nuit et ne faites jamais, au grand jamais, de l'auto-stop, il va sans dire !

29

Samedi, durant la cérémonie...

Seward conduit et tente de lire en même temps. Il réalise qu'il lui est impossible d'accomplir simultanément ces deux activités et dépose le livre de Neumann sur le siège passager. Puis il sort son portable et compose le numéro du FBI.

— J'ai besoin d'une couverture, il me faut un homme en voiture banalisée. Je suis en route pour Alexandria. J'y serai dans moins de quinze minutes.

— Identifiez-vous, s'il vous plaît !

— Agent spécial Simon Seward !

— Je regrette, Monsieur, votre accréditation a été suspendue. Vous ne pouvez pas utiliser cette ligne.

— Quoi ? Alors, passez-moi Castelli !

— Je suis désolé, veuillez composer le 911.

— Merde !

Seward raccroche et compose fébrilement le numéro de Jarvis.

— Réponds, réponds…

— Agent spé…

— Nicole, c'est Simon. Je suis en route pour Alexandria. Rapplique au plus vite chez le sénateur Bighter. Il va se faire descendre ce soir et j'ai besoin de toi pour me couvrir.

— Quoi ? tu dérailles ? Je suis en pleine cérémonie. Appelle la police.

— Négatif. Le meurtrier n'est ni le pédophile ni Bob, c'est le milliardaire Neumann…

— Quoi ?

— Le milliardaire Neumann, tu sais de qui je veux parler ? Il est parti de la rue et est devenu l'un des hommes les plus puissants du pays en offrant des thérapies aux mieux nantis de ce monde.

— Oui, bien sûr, tout le monde le connaît. Mais attends, tu n'es pas au courant de la dernière nouvelle ?

— Non, quoi ?

— En se présentant au travail ce matin, les préposés à l'entretien du musée de Salem ont découvert les cadavres des organisatrices d'une petite fête étudiante qui devait avoir lieu aujourd'hui. D'après ce qu'on en sait, elles auraient eu la nuque brisée. Tout porte à croire qu'il s'agit de notre homme. On a été mis au courant il y a à peine une heure. Jamison a immédiatement dépêché Castelli sur place. Castelli en a profité pour l'informer que j'ai pris Bob en filature jeudi soir et que je l'ai quitté vendredi soir, au moment où il se dirigeait vers Salem. Tu imagines un peu ! Jamison n'a pas hésité un seul instant, il veut à tout prix interroger Bob. Il a émis un avis de recherche dans tout le pays. Ils ne l'ont pas encore pincé, mais ça ne devrait pas tarder. Tu n'as donc plus à t'en faire. Oublie tout ça et sors t'amuser.

— Non, non, c'est pas vrai ! C'est des conneries ! Il vous manque juste une chose, Nicole !

— Quoi ? Il ne manque rien.

— Le mobile ! Peu importe les apparences, c'est le mobile qui compte !

— Comment ? Est-ce que j'ai bien compris. Ma parole, j'entends des voix ou quoi ? C'est Simon Seward qui dit ça ? Celui-là même qui, hier encore, voulait coffrer Bob car il était... comment disais-tu déjà ? Ah oui ! Un paranoïaque misogyne... C'est bien ça ? raille Jarvis.

— Écoute-moi, Nicole ! On n'a pas de mobile, on n'a pas de mobile ! s'énerve Seward. Bob n'est pas celui que je croyais. Je n'ai pas voulu l'écouter, je me suis contenté de le juger, et voilà le résultat.

— Ah oui ! Et que faisait-il avec le jeune homme qu'il est allé voir à l'université ? Je vais te le dire moi. Il venait de conclure un contrat pour aller tuer ces pauvres filles. Et c'est précisément ce qu'il est allé faire quand je l'ai quitté au moment où il prenait la route pour Salem.

— Non, tu n'y es pas du tout, Nicole. Bob est passé dans le quartier huppé de Boston et, ensuite, il est allé à l'université, car c'est là qu'enseigne Neumann. Bob est en train de pister Neumann, voilà ce qu'il faisait à Salem. Il a pisté Neumann comme il l'a fait pour le pédophile jeudi. Neumann a un mobile, Nicole. Il tue les parents qui maltraitent leurs enfants. Notre homme ne tue pas les parents pour faire souffrir les enfants, mais plutôt pour les libérer de leurs tortionnaires. Il utilise les méthodes des prédateurs pour veiller à la qualité psychique du troupeau. Il fonctionne selon les règles de la chaîne alimentaire. C'est ça la clef de l'énigme.

— Quoi! Mais qu'est-ce que tu racontes? Et qu'est-ce que la chaîne alimentaire a à voir là-dedans? Tu es en plein délire ou quoi?

— Neumann agit instinctivement, Nicole. Comme dans la nature les enfants ne sont jamais maltraités, lui, sa bête noire, ce sont les bourreaux d'enfants et il les tue de manière caractéristique pour créer un Surmoi dans l'inconscient collectif. C'est une sorte de tueur thérapeutique qui extirpe le cancer de la société. Mais il ne leur inflige pas pour autant de souffrances inutiles, car il s'agirait d'un comportement contre nature. C'est pour cela qu'on n'a trouvé aucune trace de torture sur les corps… Chaîne alimentaire, comportements naturels, instincts, Surmoi… Il suffit de savoir lire entre les lignes! Tous ces thèmes sont abordés dans son livre, Nicole. Je l'ai à côté de moi. Tu sais comme moi que les tueurs en série aiment avoir bonne conscience et qu'ils invoquent des faits historiques, des tenues vestimentaires ou encore des métiers comme la prostitution pour justifier leurs meurtres. Lui, il a choisi d'éliminer les mauvais parents et son pouvoir, il le puise dans la gestion de ce qu'il appelle la saine reproduction animale…

— Mais, Simon, les tueurs en série tuent tous pour assouvir leurs bas instincts, pas par pitié ou je ne sais trop quoi…

— Et c'est précisément pour ça, Nicole, que nos programmes de recherche n'ont rien trouvé et qu'au BSU, ils ont sorti comme seul profil probable celui d'un tueur à gages, car Neumann agit comme s'il prenait des contrats avec les enfants. Le débile qu'on a trouvé mort dans sa voiture était pédophile. Et les deux lesbiennes de Sharonneville… tu as lu le rapport, tu as vu les cadavres ? Des narcissiques sans affect. Bon sang !

— Qu… quoi ?

— Ces filles étaient des narcissiques sans affect. Avoir un lourd dossier de contraventions impayées, c'est du narcissisme. Et le narcissisme est le trait de caractère le plus facile à déceler chez les psychopathes. Mais une personne ne peut être considérée comme psychopathe que lorsqu'elle passe à l'acte, tel que frapper une femme enceinte dans un parking. Ces femmes étaient loin d'être des mamans gâteau, Nicole. Voilà ce que Bob voulait me faire comprendre à Hagerstown, mais j'ai été trop con pour l'écouter. Denis m'a donné les résultats des examens. Les tests indiquent que c'est une troisième femme qui a été fouettée. Et je mettrais ma main au feu que la femme en question, c'était leur fillette. Lorsque je lui ai parlé avant-hier, j'ai remarqué qu'elle portait des marques sur un bras. Je suis certain qu'un test ADN de l'enfant corroborerait mes dires.

— Tu n'as aucune preuve ! Qu'est-ce que tu racontes ? Calme-toi !

— La devise des orphelinats de Neumann est : *Ici les enfants ne pleurent jamais*. Il repère les enfants malheureux, il tue leurs parents et prend les petits sous son aile dans un de ses orphelinats. Je t'en prie, Nicole !

Il ne supporte pas d'entendre pleurer un enfant. Tous les morts avaient des enfants !

— Non ! Je te ferais remarquer que les Rupert n'avaient pas d'enfant.

— Et que faisaient-ils ?

— Ils travaillaient dans un jardin d'enfants…, répond machinalement Jarvis, entraînée dans le tourbillon de Seward.

— Quand il a parlé à la fille du sénateur, elle a cessé de pleurer comme si elle était devant un héros de bande dessinée.

— Mais de quoi parles-tu ? Quelle fille ?

— Bon sang ! Ce mec doit souffrir d'une sorte de complexe du *super-héros*. Neumann se trouvait aujourd'hui au supermarché où je faisais mes courses. Je l'ai vu parler à l'enfant du sénateur Lloyd Bighter et j'ai l'impression qu'il va passer à l'action ce soir. Il faut l'attraper sur le fait, car avec les moyens dont il dispose, on ne pourra jamais prouver quoi que ce soit sans en être nous-mêmes témoins. Rappelle-toi Clay Bertrand dans l'assassinat du président Kennedy. Neumann est connu dans tout le pays comme un mécène, une sorte de Robin des Bois. Il est riche comme Crésus et jouit d'une liberté d'action sans limites. Il peut se faire inviter tant par un gouverneur que par un chômeur de l'Alaska ou du Nouveau-Mexique. Même avec des aveux et sa photo prise chez ses victimes, ses avocats le feraient acquitter avant même qu'on ait fini de lui lire ses droits. J'ai besoin que quelqu'un me couvre. Aide-moi Nicole. Je t'en supplie, dis oui !

— Et Bill Bill, qu'est-ce que tu en fais, il ne travaillait pas avec des enfants et n'en avait pas ? teste Jarvis qui refuse de s'emballer trop vite.

— Qu'est-ce que j'en sais ? Il a dû flasher dessus ! C'est la première victime, selon Jamison. Il l'a peut-être connu quand il était jeune. Bill Bill n'a pas fait un séjour chez les dingues, par hasard ?... Il avait peut-être déjà essayé de s'en prendre à Neumann ou à sa famille. Va donc savoir... On le lui demandera quand on l'aura épinglé. Neumann est tellement habile qu'il l'a peut-être tué simplement pour brouiller les pistes. Merde ! Je n'en sais foutrement rien...

Un long silence pèse à l'autre bout du fil. Seward reprend sur un ton plus posé.

— Fais-moi confiance, Nicole. Aide-moi.

Son interlocutrice réfléchit un moment.

— D'accord !

— Merci. Hé, sois discrète. Si la cavalerie débarque, il va nous glisser entre les doigts.

— Hum... hum.

— Je serai là-bas le temps de le dire. Je t'y attends.

30

Maison du sénateur…

Immobile dans l'obscurité, Seward observe la maison du sénateur en ressassant la série de meurtres. Soudain, il est frappé par une idée.

— On est à Alexandria. Merde, le Mexique !

Au même moment, un millier de phares surgissent du fond de la rue. On pourrait croire que le FBI tout entier débarque. Il ne manque que le hurlement des sirènes. Seward s'élance au beau milieu de la route et leur fait signe d'arrêter. Le véhicule de tête s'immobilise tout juste devant lui. Jamison et Jarvis sortent du véhicule en tenue de soirée. Le SWAT est là au grand complet. Jamison marche d'un pas décidé vers Seward et l'apostrophe.

— Encore vous ! Qu'est-ce que vous foutez ici ?

L'escouade contourne le petit groupe et s'avance doucement. Entêté, Seward s'interpose de nouveau.

— Non ! Vous allez commettre une grave erreur !

Excédé, Jamison l'attrape par le bras et l'écarte du chemin.

— Hé ! Fichez le camp d'ici, je vous ai retiré votre accréditation il y a à peine quelques heures. Ne me forcez pas à vous faire arrêter pour entrave à la justice. Vous et vous, assurez-vous qu'il fiche le camp d'ici, ordonne-t-il en pointant du doigt deux mastodontes de son équipe.

Puis il relâche Seward.

— Ça va, je m'en vais, se résigne Seward en levant les bras au ciel devant les deux géants qui le laissent partir.

Jarvis, qui ne veut pas mal paraître devant Jamison, attend qu'il rejoigne ses hommes, puis file à l'anglaise vers Seward.

— Attends ! Simon…

Seward se retourne et interpelle sa collègue.

— Je t'avais demandé de venir seule… Bob avait raison, Nicole.

— Quoi ?

— Laisse tomber.

— Tu es un idiot ! Tu ne comprends rien aux femmes…

Le jeune policier tourne les talons et se dirige à pas pesants vers sa voiture.

— Où vas-tu ? Attends, Simon ! Ne pars pas comme ça, reste ici ! lance Jarvis en frappant du pied.

— J'ai un scoop pour toi, Nicole ! Il y a déjà eu un meurtre à Alexandria. Tu sais ce que ça veut dire ?… Le meurtrier n'a jamais frappé deux fois à la même place, lance Seward avant de monter dans sa voiture et de démarrer.

— Merde ! s'écrie Jarvis en se frappant le front avec la paume de sa main.

Elle relève sa robe au-dessus des genoux et court tant bien que mal, gênée par ses élégantes chaussures.

— Monsieur Jamison ! Monsieur Jamison, attendez ! Attendez !

Mais Jamison est déjà trop loin et ne l'entend pas. Il donne le feu vert à ses troupes qui entourent maintenant le domicile du sénateur. Les policiers passent à l'assaut et investissent la maison par les portes du salon et de la cuisine. Des hommes-araignées défoncent les fenêtres des chambres à coucher et de la salle de bains situées au deuxième étage.

— Mains en l'air, à genoux et face contre terre !

Le même ordre résonne dans toutes les pièces. La femme du sénateur, qui est en train de se démaquiller, hurle d'épouvante pendant que le sénateur est cloué au sol dans le salon, une botte sur sa tête. Il est toujours allongé quand il aperçoit Jamison sur le perron. Son visage passe du rouge au vert et ses yeux lui sortent des orbites. Il tente de l'appeler, mais le poids de la botte lui colle le visage au plancher. Il ne peut que proférer de vagues syllabes.

— Jimizen ! Jimizen !

Jamison est estomaqué. Il se retourne et voit apparaître Jarvis, essoufflée. Il vrille son regard dans le sien et, à ce moment même, Jarvis sent son château de cartes s'écrouler. Le chef de l'équipe tactique sort de la cuisine et s'approche de Jamison.

— C'est votre homme ? Il n'y a personne d'autre ici à part une femme et une petite fille en larmes. Nous maîtrisons les lieux, il n'y a rien à signaler dans les environs, Monsieur !

31

Aéroport de Washington D.C...

Seward roule à fond de train. À peine un quart d'heure plus tard, il arrive au Dulles International Airport. Il gare son véhicule dans un espace réservé aux services d'urgence, court vers l'aérogare, se dirige droit à la billetterie d'American Airlines et brandit sa plaque.

— Pardon, Mademoiselle, FBI. Avez-vous un certain Neumann, Auguste Neumann, sur un vol pour Mexico?

— Un instant... Neumann... Non.

— Pouvez-vous vérifier de nouveau?

— Oui, si vous voulez. Non pas de Neumann... Désolée.

— Merci, Mademoiselle.

Seward s'éloigne la tête basse.

— *Finalement, ce n'est peut-être pas Neumann,* pense-t-il.

— Monsieur, attendez ! crie la responsable de la billetterie.

Seward se retourne.

— Oui ?

— Il y a bien un Neumann, mais il ne va pas à Mexico. Il est inscrit sur un vol en direction de Rio, avec une escale à Mexico.

— À quelle heure décolle son avion ?

— Il est parti depuis une heure. Je suis désolée.

— Merci beaucoup.

Les mains dans les poches, Seward se dirige lentement vers les baies vitrées. Il pense à Jarvis et regrette de ne pas avoir pu lui dire à quel point elle était ravissante dans sa robe de soirée. Il regarde distraitement un avion qui décolle en pensant au pétrin dans lequel Jamison doit être en train de se débattre. À cette pensée, il sourit quand un objet vient heurter son pied. Il tourne la tête et aperçoit un enfant qui accourt dans sa direction. Intimidé, le gamin interrompt sa course. Seward se penche et ramasse le jouet.

— Tiens, Petit. Je crois que cette batmobile est à toi.

32

Dimanche matin, au lever du soleil, cimetière de Bifield…

Une limousine noire s'arrête dans l'allée du cimetière. Un chauffeur en livrée en descend, contourne le véhicule et ouvre la portière arrière, du côté passager. Il tend la main. Une femme y appuie la sienne et pose son pied sur le sol. Il s'agit de la vieille dame qui se berçait sur la terrasse de l'orphelinat il y a quelques jours. Elle sort, un énorme bouquet de fleurs à la main, et se dirige vers la tombe de la famille McBerry. Elle se recueille un instant, puis y dépose le sompueux bouquet comme elle l'a toujours fait depuis ce tragique accident de l'été 1964 où elle et sa cousine, Marie Perkins, avaient pris en charge le fils

285

unique du défunt couple alors qu'elle s'appelait Sœur de la Charité.

~ À suivre ~

Les éditions Barels
698, rue Saint-Jean, C.P. 70007
Québec, Québec G1R 6B1
CANADA
Téléphone : 418 522-3400
Télécopieur : 418 522-3400
E-mail : info@barels.ca
Site web : www.barels.ca